**10
18**

12, AVENUE D'ITALIE. PARIS XIIIe

Sur l'auteur

Ressortissant britannique né en 1948 au Zimbabwe, où il a grandi, Alexander McCall Smith vit aujourd'hui à Édimbourg et exerce les fonctions de professeur de droit appliqué à la médecine. Il est internationalement connu pour avoir créé le personnage de la première femme détective du Botswana, Mma Precious Ramotswe, héroïne d'une série qui compte déjà treize volumes. Quand il n'écrit pas, Alexander McCall Smith s'adonne à la musique – il fait partie de « l'Orchestre épouvantable » – et aux voyages. Il est également l'auteur des aventures d'Isabel Dalhousie, présidente du Club des philosophes amateurs, et de *44 Scotland Street*, qui inaugure les « Chroniques d'Édimbourg », un roman-feuilleton relatant les tribulations d'un immeuble peuplé de personnages hauts en couleur.

ALEXANDER McCALL SMITH

VAGUE À L'ÂME
AU BOTSWANA

Traduit de l'anglais
par Élisabeth Kern

INÉDIT

Grands détectives

créé par Jean-Claude Zylberstein

Titre original :
Morality for Beautiful Girls

© Alexander McCall Smith, 2001.
© Éditions 10/18, Département d'Univers Poche, 2004,
pour la traduction française.
ISBN : 978-2-264-04556-0

Ce livre est dédié à Jean Denison
et à Richard Denison

CHAPITRE PREMIER

Le monde dans les yeux d'une autre

Mma Ramotswe, fille du défunt Obed Ramotswe de Mochudi, près de Gaborone, Botswana, Afrique, était la fiancée officielle de Mr. J.L.B. Matekoni, fils du défunt Pumphamilitse Matekoni de Tlokweng, d'abord paysan puis gardien en chef des locaux de la Direction des chemins de fer. De l'avis général, le couple était bien assorti ; elle, fondatrice et propriétaire de l'Agence N° 1 des Dames Détectives, seule agence de détectives au Botswana, vouée à résoudre les problèmes des femmes, et des autres que les femmes, et lui, patron du garage Tlokweng Road Speedy Motors et, si l'on en croyait sa réputation, l'un des meilleurs mécaniciens du Botswana. Il est toujours bon, disaient les gens, qu'il y ait des intérêts indépendants dans un mariage. Les mariages traditionnels, où l'homme prend toutes les décisions et contrôle les biens du ménage, conviennent parfaitement aux femmes qui souhaitent passer leur vie à cuisiner et à s'occuper des enfants, mais les temps ont changé et, pour les femmes éduquées qui veulent faire quelque chose de leur existence, il est indubitablement préférable que chacun des conjoints ait son activité propre.

On connaissait de nombreux cas de tels mariages. Celui de Mma Maketetse, par exemple, qui avait créé

9

une petite fabrique de shorts kaki pour garçons. Elle avait débuté avec un atelier de confection minuscule et mal aéré, à l'arrière de sa maison, mais en mettant à contribution plusieurs cousines pour couper et coudre, elle avait édifié l'une des entreprises les plus florissantes du Botswana, exportant ses shorts en Namibie sans craindre de défier la rude concurrence de grandes firmes du Cap. Elle avait ensuite épousé Mr. Cedric Maketetse, qui possédait déjà deux magasins de spiritueux à Gaborone, la capitale, et venait d'en ouvrir un troisième à Francistown. Le couple avait eu droit à un article un peu embarrassant dans le journal local, sous le titre racoleur de : *Une fabricante de shorts épouse un marchand de spiritueux : qui portera la culotte ?* Tous deux étaient membres de la chambre de commerce et il ne faisait de doute pour personne que Mr. Maketetse tirait une immense fierté de la réussite de son épouse.

Bien entendu, une femme douée pour les affaires devait toujours se demander si l'homme qui la courtisait n'était pas attiré par la perspective d'une existence confortable pour le restant de ses jours. Les unions de ce genre ne manquaient pas et Mma Ramotswe avait remarqué que, dix fois sur dix, les conséquences se révélaient dramatiques. L'homme dilapidait les gains de son épouse dans les bars ou au jeu, quand il ne tentait pas de prendre les rênes de l'entreprise, qu'il menait alors à la faillite. Certes, beaucoup d'hommes étaient doués pour les affaires, estimait Mma Ramotswe, mais les femmes se débrouillaient tout aussi bien. Elles se révélaient plus économes par nature ; elles n'avaient pas le choix, d'ailleurs, avec le budget familial souvent serré qu'il fallait gérer et les bouches constamment affamées à nourrir. Les enfants mangeaient tant, semblait-il, que l'on ne préparait jamais assez de potiron ou de porridge pour remplir leurs ventres insatiables. Quant aux hommes, ils ne paraissaient jamais aussi heureux que lorsqu'ils se gavaient de viande de premier choix. Tout cela était assez décourageant.

— Ce sera un bon mariage, disaient les gens lorsqu'ils apprenaient ses fiançailles avec Mr. J.L.B. Matekoni. Lui, c'est un homme de confiance, et elle, une femme de qualité. Ils seront très heureux, à travailler chacun de son côté et à boire leur thé ensemble.

Mma Ramotswe n'ignorait pas ce verdict populaire et partageait ce sentiment. Après sa désastreuse union à Note Mokoti, trompettiste de jazz et grand séducteur, elle avait décidé de ne jamais se remarier, malgré les fréquentes propositions qu'elle recevait. Ainsi avait-elle commencé par décliner la première demande en mariage de Mr. J.L.B. Matekoni, pour finalement accepter quelque six mois plus tard. Le meilleur test pour juger d'un prétendant, avait-elle compris, consistait à se poser une seule et unique question, très simple, que n'importe quelle femme – à condition qu'elle ait eu un bon père – pouvait se poser, sachant qu'elle en connaîtrait la réponse au plus profond de son être. Cette question, elle se l'était posée au sujet de Mr. J.L.B. Matekoni, et la réponse lui était apparue nettement.

Qu'aurait pensé de lui mon cher Papa ? s'était-elle demandé.

Elle s'était posé cette question *après* avoir dit oui à Mr. J.L.B. Matekoni, de même que, sur la route, on se demande après coup si l'on a pris le bon embranchement. Elle se souvenait exactement de l'endroit où cela s'était passé. À la tombée du jour, elle était partie se promener près du barrage, sur l'un de ces sentiers qui serpentent entre les buissons d'épineux. Elle s'était immobilisée pour contempler le ciel, ce bleu très clair, presque délavé qui, à l'approche du crépuscule, se marbrait de sillons rouge orangé. Il régnait un calme absolu et elle était seule. Elle avait formulé la question à voix haute, comme s'il y avait quelqu'un pour l'entendre.

Elle avait ensuite scruté le ciel, espérant vaguement une réponse. Bien sûr, il ne s'était rien passé, et, de toute façon, elle la connaissait, il était même inutile de regarder. Dans son esprit, il ne faisait aucun doute que Obed Ramotswe, qui avait côtoyé toutes sortes d'hommes du temps où il travaillait dans les mines lointaines, et qui savait les faiblesses de chacun d'eux, aurait approuvé le choix de Mr. J.L.B. Matekoni. Et dans ce cas, elle ne devait avoir aucune appréhension. Son futur époux serait bon pour elle.

À présent, assise dans son bureau de l'Agence Nº 1 des Dames Détectives avec son assistante, Mma Makutsi, la plus brillante diplômée de l'Institut de secrétariat du Botswana, elle réfléchissait aux décisions que son mariage imminent avec Mr. J.L.B. Matekoni l'obligerait à prendre. Le problème le plus immédiat, bien sûr, avait concerné le choix de leur lieu de vie. Cela avait été tranché assez vite : même si elle était indubitablement séduisante avec sa véranda coloniale et son toit de tôle étincelant, la demeure de Mr. J.L.B. Matekoni, près de l'ancien aéroport militaire, se révélait moins pratique que sa propre maison, sur Zebra Drive. Le jardin manquait de verdure : en réalité, ce n'était guère qu'une sorte de cour dénudée, alors qu'elle-même jouissait d'un bel assortiment de papayers, d'acacias touffus et d'un carré de melons établi de longue date. En ce qui concernait l'intérieur, peu d'arguments parlaient en faveur de la maison de Mr. J.L.B. Matekoni, avec ses couloirs nus et ses pièces inhabitées, surtout lorsqu'on la comparait à celle de Mma Ramotswe, aménagée avec soin. Ce serait un déchirement, estimait-elle, d'abandonner le salon au sol de ciment rouge bien ciré recouvert d'un agréable tapis, la cheminée ornée d'une assiette commémorative de Sir Seretse Khama, chef suprême, homme d'État et premier président du Botswana, et aussi, calée dans l'angle, la machine à coudre à pédale, qui fonctionnait toujours à merveille, même en cas de panne de courant, quand d'autres, plus modernes, tombaient dans le silence.

Elle n'avait pas eu besoin de parlementer. À vrai dire, la décision prise en faveur de Zebra Drive n'avait même pas été nettement exprimée. Lorsque Mr. J.L.B. Matekoni s'était laissé convaincre par Mma Potokwane, la directrice de la ferme des orphelins, de tenir le rôle de père adoptif pour un petit garçon et sa sœur handicapée, les enfants étaient vite venus s'installer chez Mma Ramotswe et s'y étaient tout de suite plu. Il avait alors été évident que, le moment venu, toute la famille vivrait à Zebra Drive. En attendant, Mr. J.L.B. Matekoni continuerait à habiter chez lui, mais viendrait dîner chaque soir à Zebra Drive.

Ça, c'était la partie la plus facile de l'arrangement. Restait à présent le problème du travail. Assise à son bureau, Mma Ramotswe observait Mma Makutsi, qui fourrageait dans ses papiers, et ses pensées étaient absorbées par la tâche délicate qui l'attendait. La décision n'avait pas été simple, mais elle était prise et il fallait désormais faire preuve de volonté pour la mettre à exécution. Après tout, n'était-ce pas ainsi que l'on procédait en affaires ?

Dans la gestion d'entreprise, l'une des règles les plus élémentaires consistait à éviter d'accroître inutilement les coûts de fonctionnement. Lorsque Mr. J.L.B. Matekoni et elle-même seraient mari et femme, ils auraient deux sociétés et deux bureaux. Ils exerçaient des métiers très différents, bien sûr, mais le garage Tlokweng Road Speedy Motors disposait de locaux spacieux et la logique voulait que Mma Ramotswe y établisse son agence. Elle avait procédé à une inspection approfondie du bâtiment qu'occupait Mr. J.L.B. Matekoni et pris conseil auprès d'un entrepreneur local.

— Il n'y aura aucun problème, avait affirmé ce dernier après avoir visité le garage. Je peux mettre une porte de ce côté-ci. Ainsi, vos clients à vous pourront venir vous voir sans se salir les pieds dans cet atelier plein de cambouis…

Associer les deux bureaux permettrait à Mma Ramotswe de louer le local de l'agence et le revenu ainsi dégagé ferait toute la différence. Pour le moment, la pénible vérité en ce qui concernait l'Agence N° 1 des Dames Détectives était qu'elle ne réalisait pas assez de bénéfices. Non qu'il n'y eût pas de clients – ceux-ci ne manquaient pas. Seulement, le travail d'enquête réclamait du temps et personne n'aurait eu les moyens de payer les services de Mma Ramotswe si elle s'était avisée de les facturer sur la base d'un taux horaire réaliste. Quelques centaines de pula[1] pour dissiper une incertitude ou retrouver une personne disparue représentaient un prix abordable, plusieurs milliers seraient une tout autre histoire. Souvent, le doute restait préférable à la certitude quand la différence entre les deux se chiffrait en une grosse somme d'argent.

L'agence eût peut-être équilibré ses comptes sans le salaire que Mma Ramotswe devait désormais verser à Mma Makutsi. À l'origine, elle avait embauché celle-ci comme secrétaire, consciente que pour être prise

1. Unité monétaire du Botswana, signifie « pluie » en setswana. 1 pula = 100 thebe. *(N.d.T.)*

au sérieux une entreprise se devait d'avoir une réceptionniste, mais elle avait vite remarqué tout le talent qui se dissimulait derrière les grosses lunettes. Mma Makutsi avait donc été nommée assistante-détective, promotion qui lui procurait un statut auquel elle avait longtemps aspiré. Seulement, Mma Ramotswe s'était sentie obligée d'augmenter du même coup son salaire, plongeant ainsi davantage encore les comptes de l'agence dans le rouge.

Elle avait évoqué la question avec Mr. J.L.B. Matekoni, qui était tombé d'accord avec elle : elle n'avait guère le choix.

— Si tu continues comme ça, avait-il déclaré avec gravité, tu finiras par faire faillite. J'ai vu cela arriver à beaucoup d'entreprises. Dans ce cas, on nomme une personne que l'on appelle un liquidateur judiciaire. C'est une sorte de vautour, qui trace des cercles et des cercles… C'est une chose terrible pour une entreprise.

Mma Ramotswe avait fait claquer sa langue.

— Je ne veux pas que cela arrive, avait-elle dit. Ce serait une fin très triste pour l'agence.

Ils avaient échangé un regard sombre. Puis Mr. J.L.B. Matekoni avait repris la parole.

— Il va falloir la renvoyer, avait-il affirmé, formel. Il m'est arrivé de licencier des mécaniciens par le passé. Ce n'est pas agréable, mais les affaires sont les affaires.

— Elle a été si heureuse quand je lui ai annoncé sa promotion, avait murmuré Mma Ramotswe. Je ne peux pas lui dire tout à coup qu'elle n'est plus détective. Ici, à Gaborone, elle n'a personne. Sa famille est à Bobonong. Des gens très pauvres, je crois.

Mr. J.L.B. Matekoni avait secoué la tête.

— Des pauvres, il y en a beaucoup. En général, ils souffrent. Mais on ne peut pas faire fonctionner une entreprise sur du vent. C'est bien connu. En affaires, il faut additionner les rentrées et soustraire les dépenses. Le chiffre obtenu représente le bénéfice. Dans ton cas, il y a un signe moins devant ce chiffre. Tu ne peux pas…

— C'est impossible, l'avait interrompu Mma Ramotswe. Je ne peux pas la renvoyer maintenant. Je suis comme une mère pour elle. Elle avait tellement envie de devenir détective… Et puis, elle travaille dur.

Mr. J.L.B. Matekoni avait regardé ses pieds. Il avait l'impression que Mma Ramotswe attendait de lui une proposition, mais il se demandait en quoi celle-ci pouvait bien consister. Souhaitait-elle qu'il lui donne de l'argent ? Voulait-elle qu'il prenne en charge les factures de l'Agence N° 1 des Dames Détectives, malgré son insistance réitérée à le voir s'occuper uniquement de son garage pendant qu'elle-même recevait ses propres clients et traitait leurs délicats problèmes ?

— Je ne te demande pas de me donner de l'argent, déclara Mma Ramotswe en le fixant d'un regard ferme qui lui inspira une crainte mêlée d'admiration.

— Mais bien sûr que non ! s'empressa-t-il de répondre. Cela ne m'est même pas venu à l'idée !

— D'un autre côté, poursuivit Mma Ramotswe, tu as vraiment besoin d'une secrétaire au garage. Tes papiers sont toujours en désordre, non ? Et tu ne gardes jamais de trace des salaires que tu verses à ces deux incapables que tu as comme apprentis. J'imagine que tu leur prêtes de l'argent, en plus. Est-ce que tu notes tout cela quelque part ?

Le regard de Mr. J.L.B. Matekoni se fit fuyant. Comment avait-elle deviné que les garçons lui devaient plus de six cents pula chacun et que rien n'indiquait qu'ils fussent capables de rembourser un jour ?

— Tu voudrais qu'elle vienne travailler pour moi ? interrogea-t-il, surpris. Et son statut de détective, alors ?

Mma Ramotswe ne répondit pas tout de suite. Elle n'avait encore rien élaboré, mais un plan commençait à prendre forme dans son esprit. Si l'on installait l'agence dans les locaux du garage, Mma Makutsi pourrait conserver son emploi d'assistante-détective, tout en effectuant en même temps les travaux de secrétariat nécessaires au garage. Mr. J.L.B. Matekoni lui verserait un salaire, ce qui allégerait de façon significative les frais de l'agence. Cette économie, ajoutée au loyer rapporté par les locaux actuels, contribuerait à assainir grandement le bilan financier.

Elle exposa l'idée à Mr. J.L.B. Matekoni. Malgré les doutes qu'il avait toujours exprimés quant à l'efficacité de Mma Makutsi, il perçut les multiples attraits du projet, et d'abord le fait qu'il s'agissait d'un moyen de rendre Mma Ramotswe heureuse. Et c'était là, il le savait, ce qu'il souhaitait plus que tout au monde.

Mma Ramotswe s'éclaircit la gorge.

— Mma Makutsi, commença-t-elle. J'ai réfléchi à l'avenir.

Mma Makutsi, qui avait terminé de ranger les dossiers du classeur, leur avait préparé du thé rouge et s'installait pour profiter de la demi-heure de pause qu'elles s'accordaient chaque matin à onze heures. Elle avait pris un magazine – un vieil exemplaire du *National Geographic* – prêté par sa cousine institutrice.

— L'avenir ? Oh oui, c'est toujours intéressant. Mais moins que le passé, à mon avis. Il y a un très bon article dans ce magazine, Mma. Je vous le passerai dès que je l'aurai terminé. C'est au sujet de nos ancêtres, en Afrique orientale. Il y a là-bas un certain Dr Leakey. C'est un très célèbre docteur des os.

— Un docteur des os ?

Mma Ramotswe demeura perplexe. Mma Makutsi savait très bien s'exprimer – en anglais et en setswana – mais, par moments, elle employait des expressions assez inattendues. Qu'appelait-elle un docteur des os ? Cela évoquait une sorte de sorcier, mais on ne pouvait tout de même pas présenter le Dr Leakey comme un sorcier, si ?

— Oui, reprit Mma Makutsi. C'est un monsieur qui connaît absolument tout sur les os très anciens. Il les déterre et s'en sert pour nous parler du passé. Tenez, regardez ça.

Elle montra une photographie qui occupait une double page. Mma Ramotswe plissa les yeux pour mieux voir. Sa vue n'était plus ce qu'elle avait été, elle l'avait remarqué, et elle craignait de se retrouver tôt ou tard semblable à Mma Makutsi, avec ses extraordinaires lunettes géantes.

— C'est le Dr Leakey ?

Mma Makutsi hocha la tête.

— Oui, Mma, répondit-elle, c'est lui. Il tient un crâne qui appartenait à une personne très ancienne. Cette personne vivait dans des temps très reculés, elle est morte il y a très, très longtemps.

Mma Ramotswe sentit son intérêt s'éveiller.

— Et cette personne, demanda-t-elle, qui était-elle ?

— Le magazine dit qu'elle a vécu à une époque où il n'y avait pas grand monde sur la terre, expliqua Mma Makutsi. Tous les gens vivaient dans l'est de l'Afrique à ce moment-là.

— Tous les gens ?

— Oui, tous les gens. Ma famille. La vôtre. Tout le monde. En fait, nous venons tous du même groupe d'ancêtres. Le Dr Leakey l'a démontré.

Mma Ramotswe demeura songeuse.

— Mais alors, nous sommes tous frères et sœurs, dans un sens ?

— Oui, répondit Mma Makutsi. Nous appartenons tous à la même famille. Les Esquimaux, les Russes, les Nigérians. Ils sont tous comme nous. Ils ont le même sang. Le même ADN.

— ADN ? répéta Mma Ramotswe. Qu'est-ce que c'est que ça ?

— C'est quelque chose dont Dieu se sert pour fabriquer les gens, expliqua Mma Makutsi. Nous sommes tous constitués d'ADN et d'eau.

Mma Ramotswe réfléchit aux implications de cette révélation. Elle n'avait aucun point de vue sur les Esquimaux ni sur les Russes, mais pour ce qui concernait les Nigérians, c'était différent. Cependant, Mma Makutsi avait raison, songea-t-elle : si la fraternité universelle signifiait quelque chose, elle devait également englober les Nigérians.

— Si les gens savaient cela, déclara-t-elle, s'ils savaient que nous appartenons tous à la même famille, ils seraient plus gentils les uns envers les autres, vous ne croyez pas ?

Mma Makutsi reposa le magazine.

— Si, bien sûr. S'ils étaient au courant, ils auraient du mal à faire souffrir les autres. Peut-être même qu'ils chercheraient à les aider un peu plus.

Mma Ramotswe garda le silence. Mma Makutsi ne lui avait pas facilité la tâche pour ce qui devait suivre, mais Mr. J.L.B. Matekoni et elle-même avaient pris leur décision et elle n'avait d'autre choix que d'annoncer la mauvaise nouvelle.

— Tout cela est très intéressant, lança-t-elle d'un ton qu'elle s'efforça d'affermir. Il faudra que j'en lise davantage sur ce Dr Leakey dès que j'aurai un moment. Pour l'instant, je dois consacrer tout mon temps à chercher les moyens de continuer à faire tourner cette agence. Les résultats ne sont pas bons, vous comprenez. Nos comptes n'ont rien à voir avec ceux qu'on lit dans les journaux – vous savez, ceux qui se présentent sur deux colonnes, recettes et dépenses, avec la première toujours plus longue que la seconde. Pour l'agence, c'est l'inverse.

Elle s'interrompit afin d'observer l'effet de ce discours sur Mma Makutsi. Il lui fut toutefois difficile de deviner ce que pensait cette dernière, à cause des lunettes.

— Il va donc falloir que je prenne des mesures, poursuivit-elle. Si je ne fais rien, nous serons placées en liquidation judiciaire, et le directeur de la banque viendra nous confisquer l'agence. C'est ce qui arrive aux entreprises qui ne réalisent pas de profits. C'est très désagréable.

Mma Makutsi fixait sa table de travail. Soudain, elle releva la tête et, l'espace d'un instant, les branches du robinier situé devant la fenêtre se reflétèrent dans ses verres. Mma Ramotswe s'en trouva déconcertée : c'était comme regarder le monde à travers les yeux d'une autre personne. Tandis que cette pensée la traversait, Mma Makutsi tourna un peu la tête et Mma Ramotswe aperçut le reflet de sa propre robe rouge.

— Je fais de mon mieux, déclara Mma Makutsi d'une voix calme. J'espère que vous allez me laisser une chance. Je suis très heureuse d'être assistante-détective chez vous. Je n'ai pas envie de travailler comme simple secrétaire pour le restant de mes jours.

Elle s'arrêta et contempla Mma Ramotswe. Comment était-ce, songea cette dernière, de mener la vie de Mma Makutsi, diplômée de l'Institut de secrétariat du Botswana avec une note de 97 sur 100 à l'examen final, mais sans personne sur qui compter, à l'exception d'un peu de famille, très loin, à Bobonong ? Elle savait que Mma Makutsi envoyait de l'argent là-bas, parce qu'elle l'avait vue un jour à la poste expédier un mandat de cent pula. Sans doute avait-elle informé ces gens de sa promotion et ceux-ci étaient-ils fiers de savoir que leur nièce – ou quoi qu'elle fût pour eux – réussissait si bien à Gaborone. Alors qu'à la vérité la nièce était maintenue à son poste par pure charité, et que c'était Mma Ramotswe qui entretenait ces pauvres gens de Bobonong.

Elle baissa le regard sur le bureau de Mma Makutsi, où s'étalait toujours la photographie du Dr Leakey tenant le crâne. Le Dr Leakey l'observait. Alors, Mma Ramotswe ? semblait-il dire. Cette assistante que vous avez, qu'allez-vous en faire ?

Elle s'éclaircit la gorge.

— Il ne faut pas vous inquiéter, déclara-t-elle. Vous resterez assistante-détective. Seulement, nous vous demanderons d'accomplir d'autres tâches quand nous aurons emménagé au Tlokweng Road Speedy Motors. Mr. J.L.B. Matekoni a besoin d'aide pour ses travaux de secrétariat. Vous serez à moitié secrétaire, à moitié assistante-détective.

Elle s'interrompit un instant, puis ajouta à la hâte :

— Mais vous garderez le statut d'assistante-détective. Ce sera votre titre officiel.

Mma Makutsi demeura inhabituellement taciturne tout le reste de la journée. Elle prépara le thé de quatre heures en silence, tendant la tasse à Mma Ramotswe sans un mot. À la fin du jour, toutefois, elle semblait avoir accepté son sort.

— Je suppose que le bureau de Mr. J.L.B. Matekoni se trouve dans un affreux désordre. Je n'imagine pas ce monsieur traiter son courrier avec méthode. Les hommes ne savent pas faire ça.

Mma Ramotswe se sentit soulagée par ce changement de ton.

— C'est un vrai bazar, en effet, acquiesça-t-elle. Vous lui rendrez un immense service si vous arrivez à y mettre de l'ordre.

— C'est une des choses qu'on nous a appris à faire à l'Institut, répondit Mma Makutsi. On nous a envoyées dans un bureau qui était sens dessus dessous et on nous a demandé de tout réorganiser. Nous étions quatre – moi-même, et trois jolies filles. Les jolies filles ont passé leur temps à bavarder avec les hommes du bureau pendant que je rangeais.

— Ah bon ? fit Mma Ramotswe. J'imagine le tableau.

— J'ai travaillé jusqu'à huit heures du soir, poursuivit Mma Makutsi. À cinq heures, les autres sont parties dans un bar et m'ont laissée là. Le lendemain matin, le directeur de l'Institut nous a félicitées pour notre travail et nous a mis une excellente note. Les autres filles étaient ravies. Elles disaient que s'il était vrai que j'avais fait le plus gros du rangement, elles s'étaient chargées de leur côté de la partie la plus difficile, qui était d'empêcher les hommes de me gêner. Elles le pensaient réellement.

Mma Ramotswe secoua la tête.

— Ces filles-là sont des incapables, estima-t-elle. Il y a trop de gens comme ça au Botswana de nos jours. Mais au moins, vous savez que vous avez réussi. Aujourd'hui, vous êtes assistante-détective, et elles, que sont-elles ? Rien du tout, j'en suis sûre.

Mma Makutsi retira ses grosses lunettes et en essuya soigneusement les verres sur un coin de son mouchoir.

— Deux d'entre elles sont mariées à des millionnaires, répondit-elle. Elles vivent dans de grandes maisons près de l'*Hôtel du Soleil*. Je les ai vues se promener avec leurs lunettes de soleil de grande marque. La troisième est partie en Afrique du Sud pour devenir top model. Je l'ai vue en photo dans un magazine. Son mari est photographe de mode. Lui aussi gagne beaucoup d'argent et elle est très heureuse. Son mari se fait appeler Polaroïd Khumalo. Il est beau et célèbre.

Elle remit ses lunettes et regarda Mma Ramotswe.

— Un jour, vous trouverez vous aussi un mari, dit Mma Ramotswe. Et cet homme-là aura beaucoup de chance.

Mma Makutsi secoua la tête.

— Je ne crois pas, fit-elle. Il n'y a pas assez d'hommes au Botswana, c'est connu. Ils sont tous déjà mariés, il n'en reste plus.

— Eh bien, soit, vous ne vous marierez pas, répondit Mma Ramotswe. Mais de nos jours, les femmes célibataires vivent très bien. Regardez-moi, je suis célibataire. Je ne suis pas mariée.

— Vous allez épouser Mr. J.L.B. Matekoni, rappela Mma Makutsi. Vous ne serez plus célibataire très longtemps. Vous pouvez…

— Rien ne m'a obligée à l'épouser, coupa Mma Ramotswe. J'étais très heureuse toute seule. J'aurais très bien pu continuer à vivre comme ça.

Elle se tut. Elle avait vu Mma Makutsi ôter de nouveau ses lunettes et les essuyer encore, car elles s'étaient embuées.

Mma Ramotswe réfléchit. Elle n'avait jamais su voir la tristesse sans réagir. Il s'agissait là d'une qualité gênante pour un détective, étant donné toutes les souffrances attachées à ce métier, mais en dépit de ses nombreux efforts, elle n'était pas parvenue à endurcir son cœur.

— Ah, il y a autre chose, reprit-elle. Je ne vous ai pas dit que, dans ce nouvel emploi que vous occuperez, vous aurez le poste de directrice adjointe du Tlokweng Road Speedy Motors. Il ne s'agira pas d'un simple emploi de secrétaire.

Mma Makutsi releva la tête et sourit.

— C'est très bien, dit-elle. Vous êtes bonne pour moi, Mma Ramotswe.

— Et puis, vous gagnerez plus d'argent, renchérit Mma Ramotswe, renonçant à toute prudence. Pas beaucoup plus, mais un peu plus. Ainsi, vous pourrez en envoyer davantage à votre famille de Bobonong.

Cette information parut réjouir considérablement Mma Makutsi. Elle accomplit les dernières tâches de la journée avec entrain, prenant l'initiative de dactylographier plusieurs lettres que Mma Ramotswe avait rédigées à la main. Alors, ce fut au tour de Mma Ramotswe de sombrer dans la morosité. C'était la faute du Dr Leakey, songea-t-elle. S'il n'était pas venu mettre son grain de sel dans la conversation, elle aurait sans doute fait preuve d'une plus grande fermeté. À présent, elle avait accordé à Mma Makutsi non seulement une promotion, mais aussi une augmentation, sans même consulter Mr. J.L.B. Matekoni. Il faudrait lui en parler, bien sûr, mais peut-être pas tout de suite. Il importait de choisir son moment pour annoncer les nouvelles difficiles, de guetter l'instant propice. Les hommes abaissaient leurs défenses de temps à autre et, pour une femme, tout l'art consistait à patienter pour parvenir à ses fins. Une fois le moment venu, on manipulait l'autre sans grande peine. Le tout, c'était de savoir attendre.

CHAPITRE II

Un enfant dans la nuit

Ils campaient dans le delta de l'Okavango, non loin de Maun, sous un toit de mopanes immenses. À un kilomètre au nord s'étendait le lac, ruban de bleu parmi les bruns et les verts du bush. L'herbe de la savane, épaisse et riche dans cette région, offrait aux animaux une bonne couverture. Pour apercevoir un éléphant, il fallait se montrer attentif, car la végétation luxuriante empêchait de discerner même les gigantesques silhouettes grises qui progressaient lentement à travers le fourrage.

Le campement, groupement semi-permanent de cinq ou six grandes tentes plantées en demi-cercle, appartenait à un homme appelé Rra Pula, M. Pluie, nom qui lui venait de la croyance, empiriquement vérifiée en maintes occasions, que sa présence amenait la pluie. Rra Pula laissait volontiers cette conviction se perpétuer. Pluie était synonyme de chance : de là venait le cri *Pula ! Pula ! Pula !* que l'on poussait pour invoquer ou célébrer la bonne fortune. C'était un homme au visage maigre, avec cette peau tannée et criblée de taches brunes des Blancs qui ont passé leur vie sous le soleil africain. Ces taches étaient devenues si nombreuses qu'elles n'en formaient plus qu'une seule, lui donnant une couleur marron qui évoquait un pâle biscuit doré au four.

— Peu à peu, il devient comme nous, disait l'un des hommes assis autour du feu cette nuit-là. Un jour, il se réveillera et il sera devenu un Motswana, de la même couleur que nous.

— On ne fait pas un Motswana rien qu'en changeant la couleur de la peau, objecta un autre. Un Motswana est motswana à l'intérieur. Un Zoulou est exactement comme nous à l'extérieur, mais à l'intérieur, il reste un Zoulou. On ne peut pas non plus transformer un Motswana en Zoulou. Ce sont des gens différents.

Le silence s'installa autour du feu tandis que chacun méditait cette réflexion.

— Il y a beaucoup de choses qui font de nous ce que nous sommes, reprit l'un des traqueurs. Mais la plus importante, c'est le ventre de la mère. C'est là que l'on reçoit le lait qui fait de nous un Motswana ou un Zoulou. Lait de Motswana, enfant motswana. Lait de Zoulou, enfant zoulou.

— On ne reçoit pas de lait dans le ventre de la mère, intervint l'un des plus jeunes hommes. Ce n'est pas comme ça que ça marche.

L'autre le foudroya du regard.

— Alors qu'est-ce qu'on mange pendant les neuf premiers mois, hein, monsieur le savant ? Tu ne vas tout de même pas nous dire qu'on boit le sang de sa mère, si ? C'est ça que tu veux nous faire croire ?

Le jeune homme secoua la tête.

— Je ne sais pas ce qu'on mange exactement, répondit-il, mais le lait, on ne l'a qu'après la naissance. Ça, j'en suis sûr.

L'aîné afficha son mépris.

— Toi, tu ne sais rien du tout. Tu n'as pas d'enfants, que je sache, alors qu'est-ce que tu en sais ? Un gars qui n'a jamais eu d'enfants et qui se permet d'en parler comme s'il en avait une multitude ! Moi, j'en ai cinq. Cinq.

Joignant le geste à la parole, il présenta les doigts de sa main droite.

— Cinq enfants, répéta-t-il. Et tous les cinq sont faits du lait de leur mère.

Ils se turent. Autour d'un autre feu, assis non sur des rondins de bois mais sur des chaises pliantes, il y avait Rra Pula et ses deux clients. Le son de leurs voix, murmure inintelligible, était parvenu aux hommes durant un moment mais ils se taisaient à présent. Soudain, Rra Pula se leva.

— Il y a quelque chose par là, déclara-t-il. Ce doit être un chacal. Les chacals s'approchent parfois du feu, contrairement aux autres animaux, qui gardent leurs distances.

L'un des clients, un homme entre deux âges portant un chapeau mou à large bord, se redressa à son tour et scruta l'obscurité.

— Un léopard ne pourrait pas venir aussi près, si ? interrogea-t-il.

— Jamais, répondit Rra Pula. Les léopards sont trop timides.

La femme, qui s'était levée de sa chaise de toile elle aussi, tourna brusquement la tête.

— Il y a quelque chose, c'est sûr, s'écria-t-elle. Écoutez !

Rra Pula posa la tasse qu'il tenait encore à la main et s'adressa à ses hommes.

— Simon ! Motopi ! Que l'un de vous m'apporte une torche ! Vite !

Le jeune homme se précipita vers l'une des tentes. Tandis qu'il rejoignait son employeur pour lui remettre la lampe, il entendit le bruit à son tour et alluma aussitôt pour balayer du puissant rayon l'obscurité qui les entourait. On distingua les silhouettes des buissons et des arbustes, curieusement plats, sans relief, dans la lumière inquisitrice.

— Cela ne va pas suffire à le faire fuir ? s'enquit la femme.

— C'est possible, répondit Rra Pula. Mais autant s'épargner les mauvaises surprises, non ?

Le rayon lumineux éclaira le feuillage d'un robinier. Puis il descendit brutalement à la base de l'arbre. C'est alors qu'ils le virent.

— C'est un enfant, murmura l'homme au chapeau mou. Un enfant ? Ici ?

Le garçon était à quatre pattes. Saisi dans la lumière, il ressemblait à un animal pris dans les phares d'une voiture, pétrifié dans l'indécision.

— Motopi ! cria Rra Pula. Attrape ce gosse ! Amène-le-moi !

L'homme à la torche fendit les herbes hautes sans cesser d'éclairer la petite silhouette. Lorsqu'il atteignit l'enfant, celui-ci recula brutalement dans l'obscurité, mais il parut ralenti par un obstacle inattendu qui le fit trébucher, puis tomber. L'homme le rattrapa et lâcha la torche pour le saisir. Il y eut un bruit sourd lorsque l'objet heurta une pierre et la lumière s'éteignit. Toutefois, l'homme tenait l'enfant, qui se débattait.

— Ne te rebelle pas, petit, dit-il en setswana. Je ne vais pas te faire de mal. Je ne te veux aucun mal.

Le garçon lança un coup de pied, qui percuta le jeune homme à l'estomac.

— Ça suffit !

Il secoua son prisonnier et, le retenant d'une main, lui assena une claque sur l'épaule.

— Voilà ! Voilà ce qui arrive quand on cherche à frapper son oncle ! Et tu en recevras encore si tu ne prends pas garde !

Surpris par le coup, l'enfant cessa de résister et s'abandonna.

— Et puis il y a autre chose, grommela l'homme en se dirigeant avec son fardeau vers le feu de Rra Pula. Tu as une drôle d'odeur.

Il posa l'enfant au sol, près de la table où se trouvait la lampe. Il continua toutefois à le tenir par le bras, au cas où le gosse tenterait de fuir ou de s'en prendre à l'un des Blancs.

— Voilà donc notre petit chacal, dit Rra Pula en examinant le garçon.

— Il est tout nu, fit la femme. Il n'a même pas un lambeau de vêtement.

— Quel âge a-t-il ? demanda l'homme. Pas plus de six ou sept ans, apparemment… maximum.

Rra Pula avait saisi la lampe pour l'approcher de l'enfant, promenant la lumière le long du petit corps strié d'égratignures et de cicatrices, comme s'il avait été traîné dans des buissons d'épineux. Le ventre était concave et l'on distinguait les côtes. Les fesses minuscules étaient contractées et décharnées. Une plaie béante, au centre noir cerné de blanc, traversait un cou-de-pied.

Le garçon leva les yeux et parut se rétracter pour se dérober à l'examen.

— Comment t'appelles-tu ? demanda Rra Pula en setswana. D'où est-ce que tu viens ?

L'enfant fixa la lumière, mais ne réagit pas.

— Essaie en kalanga, demanda Rra Pula à Motopi. Essaie en kalanga, puis en herero. Il est peut-être herero. Ou masarwa. Tu connais un peu ces langues, Motopi. Vois si tu peux tirer quelque chose de ce petit.

L'homme s'accroupit pour se trouver au niveau de l'enfant. Il commença dans une langue, détachant bien ses mots, puis, voyant qu'il n'obtenait aucune réaction, passa à une autre. Le garçon resta muet.

— Je ne crois pas qu'il sache parler, dit-il. Je crois qu'il ne comprend pas du tout ce que je lui dis.

La femme fit un pas en avant pour toucher l'épaule du garçon.

— Mon pauvre petit, murmura-t-elle. Tu as l'air...

Elle poussa un cri et retira vivement sa main. Il l'avait mordue.

L'homme saisit l'enfant par le bras droit et l'obligea à se relever. Puis, se penchant en avant, il lui flanqua une gifle retentissante.

— Non ! hurla-t-il. Méchant garçon !

Horrifiée, la femme le poussa.

— Ne le frappez pas ! cria-t-elle. Il a peur, vous ne le voyez pas ? Il n'a pas voulu me faire mal. Je n'aurais pas dû le toucher, c'est tout.

— On ne peut pas laisser un enfant mordre les gens, Mma, fit l'homme à mi-voix. Nous n'aimons pas cela.

La femme s'était entouré la main d'un mouchoir, mais une petite tache de sang l'avait traversé.

— Je vais vous donner de la pénicilline, dit Rra Pula. Une morsure humaine peut être très dangereuse.

Tous regardèrent l'enfant, qui s'était allongé comme s'il voulait dormir mais ne les quittait pas des yeux.

— Cet enfant a une odeur très étrange, déclara Motopi. Vous avez remarqué, Rra Pula ?

Rra Pula renifla.

— Oui, répondit-il. C'est peut-être sa blessure. Elle suppure.

— Non, affirma Motopi. J'ai un très bon odorat. Cette blessure, je la sens, mais il y a aussi une autre odeur. Une odeur qu'on ne trouve pas chez un enfant.

— Quelle odeur ? interrogea Rra Pula. Une odeur que tu connais ?

Motopi hocha la tête.

— Oui, dit-il. C'est une odeur de lion. Rien d'autre n'a cette odeur. Juste les lions.

Pendant quelques instants, personne ne parla. Puis Rra Pula se mit à rire.

— Un peu de savon et d'eau en viendront à bout, assura-t-il. Et aussi quelque chose sur cette plaie qu'il a au pied. De la poudre de soufre devrait l'assécher.

Motopi saisit l'enfant avec précaution. Celui-ci se recroquevilla mais sans opposer de résistance.

— Lave-le et garde-le dans ta tente, ordonna Rra Pula. Ne le laisse pas s'enfuir.

Les clients retournèrent s'asseoir auprès du feu. La femme échangea un regard avec son compagnon, qui haussa les épaules.

— D'où diable peut-il bien venir ? demanda-t-elle à Rra Pula, qui attisait le feu au moyen d'un bâton carbonisé.

— De l'un des villages du coin, j'imagine, répondit-il. Le plus proche est à trente kilomètres. C'est sans doute un berger qui s'est perdu et qui a erré longtemps à travers le bush. Cela arrive.

— Mais pourquoi ne porte-t-il aucun vêtement ?

Il haussa les épaules.

— Parfois, les bergers sont seulement vêtus d'un petit pagne. Il a peut-être perdu le sien dans un buisson d'épineux. Ou il l'abandonné quelque part.

Il releva les yeux vers la femme.

— Ce genre de chose se produit souvent en Afrique. Il y a sans cesse des enfants qui disparaissent. Ils s'évanouissent dans la nature. Ils ne subissent rien de fâcheux. Vous n'êtes pas inquiète pour lui, si ?

La femme fronça les sourcils.

— Bien sûr que si ! Il aurait pu lui arriver n'importe quoi. Que faites-vous des animaux sauvages ? Il aurait pu être emporté par un lion. Il aurait pu lui arriver n'importe quoi.

— Oui, fit Rra Pula. C'est vrai. Mais il ne lui est rien arrivé. Demain, nous l'amènerons à Maun et nous le confierons à la police. Elle élucidera le mystère. Elle découvrira d'où il vient et elle le ramènera chez lui.

La femme parut réfléchir.

— Pourquoi votre homme a-t-il dit qu'il sentait le lion ? Ne trouvez-vous pas que c'est bizarre de dire ça ?

Rra Pula éclata de rire.

— Ici, les gens disent de drôles de choses. Ils ne voient pas le monde comme nous autres. Ce garçon-là, Motopi, est un très bon traqueur. Mais il a tendance à parler des animaux comme s'il s'agissait d'êtres humains. Il affirme que les bêtes lui parlent. Il prétend pouvoir sentir la peur chez elles. C'est sa façon de s'exprimer, c'est tout.

Ils restèrent assis en silence un long moment, puis la femme annonça qu'elle allait se coucher. Ils lui souhaitèrent bonne nuit. Rra Pula et l'homme demeurèrent encore une demi-heure auprès du feu, parlant peu, regardant les bûches se consumer lentement et les étincelles s'envoler vers le ciel. Dans sa tente, Motopi s'était étendu en travers de l'entrée, afin que l'enfant ne puisse pas s'en aller sans le déranger. Toutefois, le garçon ne semblait pas souhaiter s'enfuir. Il s'était endormi presque tout de suite. À présent, Motopi, tout près de sombrer dans le sommeil lui aussi, le contemplait à travers ses paupières alourdies de fatigue. Protégé d'une couverture légère, l'enfant respirait profondément. Il avait mangé le morceau de viande qu'on lui avait donné, le déchirant goulûment, et bu avec avidité une grande tasse d'eau en lapant le liquide à la manière des animaux s'abreuvant à une mare. Et il flottait toujours cette odeur étrange, pensa Motopi, cette odeur âcre de moisissure, qui évoquait si fortement celle des lions. Mais pourquoi, se demandait-il, pourquoi un enfant sentirait-il le lion ?

CHAPITRE III

Les affaires du garage

Mma Ramotswe roulait en direction du Tlokweng Road Speedy Motors. Elle avait résolu de soulager sa conscience en parlant sans détour à Mr. J.L.B. Matekoni. Elle reconnaissait avoir usé d'une autorité qui ne lui appartenait pas en nommant Mma Makutsi directrice adjointe du garage – elle n'eût pas apprécié du tout qu'il se permette de telles libertés avec son personnel à elle – et n'avait d'autre choix que de lui raconter exactement ce qui s'était passé. Il avait bon cœur et même s'il avait toujours considéré Mma Makutsi comme un luxe que Mma Ramotswe ne pouvait s'octroyer, il comprendrait certainement l'importance que revêtait pour cette femme le titre qu'elle portait. Et puis, quelle différence cela faisait-il qu'on la qualifie de directrice adjointe, du moment qu'elle accomplissait les tâches que l'on attendait d'elle ? Seulement, il y avait aussi le problème de l'augmentation de salaire. Là, les choses s'annonçaient plus délicates...

Cet après-midi-là, Mma Ramotswe se dirigeait donc vers le Tlokweng Road Speedy Motors au volant de la petite fourgonnette blanche réparée par Mr. J.L.B. Matekoni. Le véhicule roulait parfaitement depuis que celui-ci y avait consacré une bonne partie de son temps libre. Il avait remplacé la plupart des pièces par d'autres, neuves, qu'il avait commandées à l'étranger. Il y avait par exemple un nouveau carburateur et un système de freins complet et flambant neuf. Il suffisait désormais à Mma Ramotswe d'effleurer la pédale du frein pour que la fourgonnette pile net. Auparavant, à l'époque où Mr. J.L.B. Matekoni ne témoignait pas autant d'intérêt au véhicule, Mma Ramotswe devait pomper sur la pédale trois ou quatre fois pour seulement commencer à ralentir.

— Je pense que je n'emboutirai plus jamais de voitures, déclara-t-elle, pleine de reconnaissance, la première fois qu'elle essaya les freins. Je pourrai m'arrêter au moment exact où j'en aurai envie.

Mr. J.L.B. Matekoni parut alarmé.

— Il est extrêmement important d'avoir de bons freins, affirma-t-il. Il ne faudra plus laisser les tiens atteindre un tel état de délabrement, à l'avenir. Tu n'auras qu'à m'en parler et je ferai en sorte qu'ils t'obéissent au doigt et à l'œil.

— C'est promis, répondit Mma Ramotswe.

Même si elle adorait sa petite fourgonnette blanche, qui l'avait toujours servie fidèlement, elle ne portait aux voitures qu'un intérêt limité. Elle avait peine à comprendre pourquoi les gens passaient leur temps à rêver d'une Mercedes Benz, alors qu'il existait tant d'autres véhicules aptes à les mener à destination en toute sécurité, sans pour autant coûter les yeux de la tête. Ce goût des voitures était une caractéristique masculine, pensait-elle. Elle le voyait se développer chez les petits garçons, qui affectionnaient les modèles miniatures, et il ne disparaissait plus jamais. Qu'est-ce que les hommes leur trouvaient de si passionnant ? Les voitures n'étaient après tout que des machines, de sorte que l'on pouvait imaginer, pourquoi pas, que les messieurs portent le même intérêt aux lave-linge ou aux fers à repasser, par exemple. Or, ce n'était pas le cas du tout. Jamais on n'entendait les hommes discuter entre eux de machines à laver.

Elle s'arrêta devant le garage Tlokweng Road Speedy Motors et descendit de la petite fourgonnette blanche. Par l'étroite fenêtre qui donnait sur la cour, elle vit que le bureau était désert, ce qui signifiait que Mr. J.L.B. Matekoni se trouvait probablement sous une voiture, dans l'atelier, ou en train de superviser le travail de ses difficiles apprentis, s'efforçant de leur inculquer quelque délicate notion de mécanique. Il avait avoué à Mma Ramotswe le désespoir que lui inspiraient les deux garçons, qui semblaient incapables de progresser, et elle avait compati. Il n'était pas facile de persuader les jeunes de la nécessité de travailler : ils attendaient que tout leur arrive sur un plateau. Aucun ne semblait comprendre que tout ce qu'on avait aujourd'hui au Botswana – et l'on avait beaucoup – avait été acquis au prix de dur labeur et d'abnégation. Le Botswana n'avait jamais rien emprunté à personne, ni ployé sous les dettes comme tant de pays d'Afrique. On avait économisé et dépensé l'argent avec parcimonie : chaque centime, chaque thebe, avait été comptabilisé et rien n'était passé dans les poches d'hommes politiques malhonnêtes. Nous pouvons être fiers de notre pays, songeait Mma Ramotswe, et je le suis. Je suis fière de ce qu'a fait mon père, Obed Ramotswe. Je suis fière de Seretse Khama, de la nouvelle nation qu'il a bâtie à partir d'une région que les Britanniques n'avaient fait qu'ignorer. Peut-être ces derniers ne se sont-ils guère souciés de nous à l'époque, pensait-elle, mais à présent, ils savent de quoi nous sommes capables et ils nous admirent pour cela. Elle se souvenait d'un discours prononcé par l'ambassadeur américain : « Nous saluons le peuple du Botswana pour tout ce qu'il a réalisé. » Ces mots l'avaient emplie d'orgueil. Elle savait qu'au-delà des mers les habitants de ces pays lointains et un peu terrifiants tenaient le Botswana en haute estime.

C'était bien d'être africain. Certes, il se passait des choses terribles sur ce continent, des choses qui amenaient la honte et le désespoir lorsqu'on les méditait, mais elles n'étaient pas tout. Aussi profondes fussent les souffrances des peuples de l'Afrique, aussi déchirants la cruauté et le chaos apportés par les soldats – de petits garçons auxquels on avait confié des armes, en vérité –, il restait en Afrique d'innombrables sujets de fierté. La bonté humaine, par exemple. Et l'aptitude au sourire. Et l'art et la musique.

Elle contourna le bâtiment pour pénétrer dans l'atelier. Il y avait deux voitures à l'intérieur, l'une élevée sur le pont de graissage, l'autre garée le long d'un mur, sa batterie reliée à un petit chargeur posé près de la roue avant. Plusieurs pièces gisaient au sol – dont un vieux tuyau d'échappement et une autre qu'elle ne reconnut pas – et une boîte à outils était ouverte sous la voiture placée sur le pont. Toutefois, on ne voyait pas trace de Mr. J.L.B. Matekoni.

Ce fut seulement quand l'un d'eux se redressa que Mma Ramotswe remarqua la présence des apprentis. Ils s'étaient installés à même le sol, adossés à un tonneau d'huile vide, pour disputer une partie de cailloux. À présent, le plus grand, dont elle n'avait jamais pu retenir le nom, était debout et s'essuyait les mains sur sa combinaison crasseuse.

— B'jour, Mma, dit-il. Il n'est pas là. Le patron. Il est rentré chez lui.

Il lui sourit d'une façon qu'elle trouva vaguement offensante. C'était un sourire de connivence, qu'on l'imaginait adresser à une fille dans une boîte de nuit. Elle connaissait ces jeunes gens. Mr. J.L.B. Matekoni lui avait dit qu'ils ne pensaient qu'aux filles et elle le croyait sans peine. Le plus navrant, c'était de savoir qu'il existait des centaines de filles susceptibles de s'intéresser à eux, à ces garçons aux cheveux gominés et au sourire étincelant.

— Pourquoi est-il parti aussi tôt ? interrogea-t-elle. Le travail est terminé ? C'est pour cela que vous êtes assis, tous les deux ?

L'apprenti sourit. Il avait, songea-t-elle, l'air de quelqu'un qui sait quelque chose, et elle se demanda de quoi il pouvait bien s'agir. À moins que ce ne fût un simple sentiment de supériorité, cette condescendance qu'il adoptait sans doute toujours vis-à-vis des femmes ?

— Non, répondit-il avec un coup d'œil à son ami. Ce n'est pas fini du tout. On a encore pas mal de choses à faire sur la voiture qui est là-haut.

Il désignait le pont de graissage d'un geste négligent.

L'autre apprenti choisit ce moment pour se lever. Il venait de manger et il lui restait des traces de farine autour de la bouche. Que penseraient les filles de cela ? s'interrogea Mma Ramotswe avec malice. Elle l'imagina se lançant à la conquête d'une fille sans rien savoir de ce nuage blanc qui lui entourait les lèvres. Certes, c'était un beau garçon, mais avec cette poudre blanche sur le visage, il déclencherait davantage le rire que de vifs battements de cœur.

— Le patron nous laisse souvent seuls ces derniers temps, expliqua le second apprenti. Parfois, il part à deux heures. Il nous laisse faire tout le boulot.

— Seulement, ça pose un léger problème, intervint l'autre. C'est que nous, on ne peut pas tout faire. On se débrouille pas mal avec les voitures, c'est vrai, mais on n'a pas encore tout appris, vous comprenez...

Mma Ramotswe se tourna vers la voiture sur le pont. C'était l'un de ces vieux breaks français si appréciés dans certaines régions de l'Afrique.

— Tenez, celle-ci, par exemple, reprit l'apprenti. Elle fait plein de fumée par le pot d'échappement. Un nuage énorme, à chaque fois. Ça veut dire que le joint de culasse est parti et que le liquide de refroidissement passe dans le cylindre. Ce qui entraîne donc de la fumée. Et en plus, ça siffle.

— Soit, dit Mma Ramotswe. Alors pourquoi ne le réparez-vous pas ? Mr. J.L.B. Matekoni ne peut pas vous tenir la main sans arrêt, vous savez.

Le plus jeune des garçons fit la moue.

— Vous croyez que c'est facile, Mma ? Vous croyez que c'est facile ? Vous avez déjà essayé de retirer la tête de cylindre d'une Peugeot ? Vous avez déjà essayé, Mma ?

Mma Ramotswe esquissa un geste apaisant.

— Je ne vous critique pas, assura-t-elle. Pourquoi ne demandez-vous pas à Mr. J.L.B. Matekoni de vous expliquer la marche à suivre ?

L'aîné des apprentis s'irrita.

— Je suis bien d'accord avec vous, Mma. Mais le problème, c'est qu'il ne veut pas. Et après, il repart chez lui et il nous laisse nous débrouiller avec les clients. Les clients n'aiment pas ça. Ils débarquent ici et ils nous disent : « Mais où est ma voiture ? Comment voulez-vous que je me déplace, moi, si vous mettez des jours et des jours à la réparer ? Est-ce qu'il faut que je marche, comme les gens qui n'ont pas de voiture ? » Voilà ce qu'ils nous disent, Mma.

Mma Ramotswe réfléchit. Il semblait incroyable que Mr. J.L.B. Matekoni, d'ordinaire si consciencieux, laisse ce genre d'incidents se produire dans son propre garage. Lui qui avait bâti sa réputation sur le sérieux et la rapidité des réparations ! Si une personne n'était pas satisfaite du travail, elle était invitée à rapporter sa voiture : Mr. J.L.B. Matekoni s'engageait à tout recommencer sans rien faire payer. Il avait toujours travaillé de cette façon, aussi était-il inconcevable qu'il laisse un véhicule sur le pont, aux bons soins de ces deux apprentis qui semblaient si peu connaître les moteurs et dont nul ne jurerait qu'ils ne bâcleraient pas la besogne.

Elle s'adressa à l'aîné des apprentis, résolue à en avoir le cœur net.

— Si je comprends bien, reprit-elle d'un ton plus doux, tu es en train de me dire que Mr. J.L.B. Matekoni ne se *soucie* pas de ces voitures ?

Le jeune homme la regarda droit dans les yeux, avec une fixité qu'elle jugea indécente. S'il avait la moindre notion de ce que sont les bonnes manières, pensa-t-elle, il n'oserait même pas établir un contact visuel avec moi. Il baisserait le regard pour me parler, comme il convient à un jeune face à un adulte.

— Oui, répondit simplement l'apprenti. Depuis dix jours à peu près, Mr. J.L.B. Matekoni a l'air d'avoir perdu son intérêt pour le garage. D'ailleurs, il m'a dit hier qu'il allait sûrement partir dans son village et qu'il me laisserait comme responsable. Il a dit que je n'aurais qu'à faire de mon mieux.

Mma Ramotswe prit une profonde inspiration. Elle savait que le garçon disait la vérité, mais c'était une vérité qu'elle avait le plus grand mal à accepter.

— Et puis, il y a autre chose, poursuivit l'apprenti en s'essuyant les mains sur un chiffon noir de cambouis. Ça fait deux mois qu'il ne paye plus les fournisseurs. Il y en a un qui a appelé l'autre jour, une fois où il était parti tôt, et c'est moi qui ai pris le téléphone. Pas vrai, Siletsi ?

L'autre confirma d'un hochement de tête.

— Enfin, bref. Le type a dit que de toute façon, si on ne payait pas dans les dix jours, ils arrêteraient de nous fournir les pièces détachées. Il m'a dit de répéter ça à Mr. J.L.B. Matekoni et de lui faire comprendre qu'il ne fallait pas traîner. C'est ce qu'il a dit. Que c'était à moi de parler au patron. C'est ce qu'il m'a demandé de faire.

— Et tu l'as écouté ? s'enquit Mma Ramotswe.

— Évidemment. J'ai dit au patron : « Il faut que je vous dise un truc, Rra. Juste un truc. » Et puis, je lui ai expliqué.

Mma Ramotswe examina son interlocuteur. À n'en pas douter, celui-ci se complaisait dans le rôle d'employé modèle qu'il était en train de jouer, un rôle, suspectait-elle, qu'il expérimentait pour la première fois.

— Et alors ? Comment a-t-il réagi ?

L'apprenti renifla, puis s'essuya le nez d'un revers de main.

— Il a dit qu'il allait essayer de s'occuper du problème. C'est ce qu'il a dit. Mais vous savez ce que je crois, moi ? Vous savez ce que je crois qu'il se passe, Mma ?

Mma Ramotswe l'interrogea du regard.

— Je crois que son garage, Mr. J.L.B. Matekoni n'en a plus rien à faire. À mon avis, il en a marre. J'ai l'impression qu'il ne demande qu'à nous le laisser. Comme ça, il pourra partir planter des melons dans son village. Il se fait vieux, Mma. Il a eu son compte.

Mma Ramotswe demeura bouche bée. L'effronterie d'une telle suggestion la sidérait : voilà que ce… que ce bon à rien, connu pour son habitude de harceler les filles qui passaient devant le garage, cet apprenti que Mr. J.L.B. Matekoni avait vu un jour utiliser un marteau sur un moteur, se permettait d'affirmer que Mr. J.L.B. Matekoni était prêt à s'en remettre totalement à lui !

Il lui fallut près d'une minute pour recouvrer son calme.

— Vois-tu, mon garçon, je te trouve extrêmement insolent, répliqua-t-elle enfin. Mr. J.L.B. Matekoni n'a pas perdu son intérêt pour le garage. Et puis, ce n'est pas un vieil homme. Il a un peu plus de quarante ans, ce qui est loin d'être un âge avancé, quoi que tu en penses. Et pour finir, mets-toi bien dans la tête qu'il n'a pas la moindre intention de vous laisser à tous les deux la responsabilité du garage. Sinon, autant mettre la clé sous la porte. Est-ce que tu m'as bien comprise ?

Le plus âgé des apprentis se tourna vers son ami pour quémander un soutien, mais l'autre fixa obstinément le sol.

— J'ai compris, Mma. Je m'excuse.

— C'est le moins que tu puisses faire, rétorqua Mma Ramotswe. Et maintenant, j'ai une information pour toi. Mr. J.L.B. Matekoni vient de nommer une personne au poste de directeur adjoint du garage. Cette personne arrivera très bientôt. Alors vous avez intérêt à bien vous tenir, tous les deux.

Ces remarques produisirent l'effet escompté sur l'apprenti, qui laissa tomber son chiffon et adressa un nouveau regard angoissé à son compagnon.

— Quand est-ce qu'il commence ? s'enquit-il d'une voix nerveuse.

— La semaine prochaine, répondit Mma Ramotswe. Et ce n'est pas « il », mais « elle ».

— Quoi ? C'est une femme ?

— Oui, fit Mma Ramotswe en tournant les talons. C'est une femme, elle s'appelle Mma Makutsi et elle est extrêmement stricte avec les apprentis. Soyez sûrs que vous n'aurez plus beaucoup l'occasion de jouer aux cailloux. Vous avez bien compris ?

Les deux apprentis hochèrent sombrement la tête.

— Bon. Maintenant, vous allez tâcher de me réparer cette voiture ! enchaîna Mma Ramotswe. Je reviens dans deux heures pour voir où vous en êtes.

Elle retourna à sa fourgonnette et grimpa sur le siège. Elle était parvenue à paraître déterminée pour donner ses instructions aux apprentis, mais en son for intérieur, elle était loin de ressentir la même fermeté. À vrai dire, elle éprouvait une inquiétude extrême. D'après son expérience, quand une personne commençait à se comporter d'une façon qui ne lui ressemblait pas, c'était très mauvais signe. Mr. J.L.B. Matekoni possédait une grande conscience professionnelle et lorsqu'on était doté d'une personnalité comme la sienne, on ne laissait pas tomber ses clients sans une excellente raison. Mais quelle était cette raison ? Avait-elle un lien avec leur prochain mariage ? Avait-il changé d'avis ? Cherchait-il à se dérober ?

Mma Makutsi verrouilla la porte de l'Agence N° 1 des Dames Détectives. Mma Ramotswe était partie au garage s'entretenir avec Mr. J.L.B. Matekoni, la laissant finir de dactylographier les lettres et les porter à la poste. Mma Ramotswe aurait pu lui en demander dix fois plus, elle n'aurait pas trouvé cela excessif, tant sa joie était grande depuis qu'elle avait appris sa promotion et son augmentation de salaire. On était jeudi et demain serait jour de paie. On resterait encore à l'ancien tarif, mais il fallait fêter cela, songea-t-elle, peut-être en achetant un beignet sur le chemin du retour. Tous les soirs, Mma Makutsi passait devant un vendeur de beignets et autres délices frites dont l'odeur, à chaque fois, lui mettait l'eau à la bouche. Le problème, c'était l'argent, bien sûr. Un gros beignet ne coûtait pas moins de deux pula, un plaisir onéreux lorsqu'on songeait au prix du repas du soir, qu'il fallait ajouter. La vie était chère à Gaborone : chaque chose semblait coûter deux fois plus que dans le village natal de Mma Makutsi. À la campagne, elle pouvait tenir assez longtemps avec dix pula. Ici, à Gaborone, elle avait l'impression que les billets de dix pula lui fondaient dans la main.

Mma Makutsi louait une chambre dans la cour d'une maison particulière sur Lobatse Road. Cette chambre occupait la moitié d'une petite construction de parpaing ; elle donnait sur la clôture arrière et sur une allée sinueuse où traînaient toujours des chiens décharnés. Ceux-ci n'avaient pas de liens solides avec leurs maîtres, qui vivaient dans les maisons environnantes. Ils leur préféraient apparemment la compagnie de congénères, car ils passaient le plus clair de leur temps à errer par groupes de deux ou trois. Pourtant, quelqu'un devait les nourrir, mais à intervalles irréguliers, car leur cage thoracique transparaissait sous la peau et ils semblaient chercher en permanence des poubelles à piller. Certaines fois, si Mma Makutsi laissait la porte ouverte, l'un d'eux entrait et levait vers elle un regard triste et affamé, jusqu'au moment où elle le chassait. Ces visites lui semblaient une indignité plus grande encore que celles des poules qui, à l'agence, se permettaient de pénétrer dans le bureau pour venir picorer jusqu'à ses pieds.

Elle s'acheta un beignet et prit le temps de le déguster. Elle se lécha ensuite les doigts un à un pour ne rien perdre de la délicieuse gourmandise. Puis, une fois sa faim apaisée, elle prit le chemin de la maison. Elle aurait pu rentrer en minibus, un mode de transport assez bon marché, mais elle aimait se promener dans la fraîcheur du soir et, en général, rien ne la pressait. Elle se demanda comment allait son frère aujourd'hui, s'il avait passé une bonne journée ou si, au contraire, les quintes de toux l'avaient épuisé. Ces derniers jours, quoiqu'il restât très faible, il lui avait paru plutôt mieux ; elle avait même pu jouir de deux nuits de sommeil ininterrompu.

Il était venu vivre chez elle deux mois auparavant, après avoir effectué le long voyage en bus. Elle était allée l'attendre au terminus, près de la gare, et, l'espace d'un instant, elle l'avait contemplé sans le reconnaître. Elle gardait le souvenir d'un garçon bien bâti et même plutôt corpulent. L'homme qu'elle voyait à présent se tenait voûté et sa chemise battait les flancs de son torse maigre. Lorsqu'elle avait compris que c'était lui, elle avait couru à sa rencontre et lui avait saisi la main, ce qui lui avait fait un choc, car celle-ci était chaude et sèche, avec une peau toute craquelée. Elle s'était emparée de la valise qu'il avait tenté sans succès de soulever lui-même et l'avait entraîné vers le minibus qui faisait la navette jusqu'à Lobatse Road.

Ensuite, il s'était installé chez elle, dormant sur une natte qu'elle avait placée à une extrémité de la chambre. Elle avait tendu une corde entre deux murs afin d'y suspendre un rideau, soucieuse de lui procurer un peu d'intimité et le sentiment d'être chez lui, mais elle entendait chaque râle de sa respiration sifflante et était souvent réveillée par les sons indistincts qu'il produisait dans son sommeil.

— Tu es vraiment gentille de me prendre chez toi, lui avait-il dit. J'ai de la chance d'avoir une sœur comme toi.

Elle avait protesté, affirmant que cela ne la déran-
geait pas, que, bien au contraire, elle était heureuse
de l'avoir auprès d'elle et qu'il pourrait même rester
une fois qu'il serait rétabli et aurait trouvé un travail
à Gaborone. Elle savait toutefois que ce jour n'arri-
verait pas. Il en était conscient lui aussi, sans aucun
doute, mais ils ne le disaient ni l'un ni l'autre et ne
parlaient jamais non plus de cette cruelle maladie qui
allait mettre fin à sa vie, peu à peu, comme la sécheresse consume inexorablement un paysage.

Cette fois, elle rentrait avec une bonne nouvelle à
annoncer. Il s'intéressait à ce qui se passait à l'agence
et, chaque soir, il voulait connaître tous les détails
de la journée de sa sœur. Il n'avait jamais vu Mma
Ramotswe – Mma Makutsi tenait à ce qu'elle ne sût
rien –, mais il se la représentait de façon très nette et
demandait toujours de ses nouvelles.

— Peut-être que je ferai un jour sa connaissance,
disait-il. Je pourrai alors la remercier de ce qu'elle
a fait pour ma sœur. Sans elle, tu ne serais jamais
devenue assistante-détective.

— C'est une personne généreuse.

— Je sais. Je l'imagine très bien, avec son bon
sourire et ses grosses joues. Je l'imagine buvant le thé
avec toi. Cela me rend heureux rien que d'y penser.

Mma Makutsi regretta soudain de ne pas avoir
songé à lui rapporter un beignet ; mais il n'avait guère
d'appétit et c'eût été du gaspillage. Il disait que sa
bouche lui faisait mal. Et puis, la toux l'empêchait
de manger beaucoup. Aussi ne prenait-il généralement
que quelques cuillerées de la soupe qu'elle préparait
sur le petit réchaud à pétrole, et même là, il éprouvait
des difficultés à garder la nourriture.

Il y avait quelqu'un d'autre dans la chambre
lorsqu'elle arriva. Elle entendit une voix étrangère

et, l'espace d'un instant, elle redouta qu'une chose terrible ne se fût produite durant son absence. Quand elle entra, toutefois, elle vit que le rideau était ouvert et aperçut une femme assise sur un tabouret pliant près de la natte. L'étrangère se leva et se tourna vers elle dès qu'elle entendit la porte s'ouvrir.

— Je suis infirmière à l'hospice anglican, déclara-t-elle. Je suis venue voir votre frère. Je m'appelle sœur Baleje.

Elle avait un sourire plein de bonté et Mma Makutsi la prit tout de suite en sympathie.

— C'est gentil à vous, répondit-elle. Je vous ai écrit cette lettre pour que vous sachiez qu'il n'allait pas bien.

L'infirmière hocha la tête.

— Vous avez eu raison. Nous pourrons venir lui rendre visite de temps en temps. Si c'est nécessaire, nous lui apporterons à manger. Nous ferons notre possible pour vous aider, même si cela ne représente pas grand-chose. Nous pouvons lui donner des remèdes. Ils ne sont pas très puissants, mais ils le soulageront peut-être un peu.

Mma Makutsi la remercia, puis regarda son frère.

— C'est surtout la toux qui le gêne, expliqua-t-elle. C'est le plus pénible, je crois.

— Ce n'est pas facile, répondit l'infirmière.

Elle se rassit sur le tabouret et prit la main du malade.

— Il faut essayer de boire davantage d'eau, Richard, reprit-elle. Vous ne devez pas attendre d'avoir trop soif pour boire.

Il ouvrit les yeux et la contempla, mais ne dit rien. Il n'avait pas bien compris ce qu'elle faisait là, mais pensait qu'il devait s'agir d'une amie de sa sœur, ou d'une voisine.

L'infirmière se tourna vers Mma Makutsi et lui fit signe de s'asseoir sur le sol à côté d'eux. Puis, tenant toujours la main du frère, elle lui caressa la joue.

— Seigneur Jésus qui nous soutenez dans nos souffrances, murmura-t-elle, penchez-vous sur ce pauvre homme et ayez pitié de lui. Donnez de la gaieté à ses jours. Faites qu'il se réjouisse d'avoir une sœur comme celle-ci, une sœur qui prend soin de lui dans la maladie. Et amenez la paix dans son cœur.

Mma Makutsi ferma les yeux et posa la main sur l'épaule de l'infirmière, puis chacun garda le silence.

CHAPITRE IV

Visite au Dr Moffat

Tandis que Mma Makutsi veillait au chevet de son frère, Mma Ramotswe immobilisait sa petite fourgonnette blanche devant la maison de Mr. J.L.B. Matekoni, près de l'ancien aéroport militaire du Botswana. Elle vit tout de suite qu'il était là : la camionnette verte, qu'il persistait à conduire alors qu'il possédait, entreposé dans son garage, un véhicule en bien meilleur état, stationnait devant la porte d'entrée, laissée ouverte à cause de la chaleur. Elle gara la fourgonnette dans la rue pour s'épargner la peine d'ouvrir et de refermer la grille, puis se dirigea vers la maison avec un vague coup d'œil aux quelques massifs broussailleux qui constituaient ce que Mr. J.L.B. Matekoni qualifiait de jardin.

— *Ko ko !* lança-t-elle de la porte. Tu es là, Mr. J.L.B. Matekoni ?

Une voix lui parvint du salon.

— Oui, je suis là. Je suis chez moi, Mma Ramotswe.

Mma Ramotswe entra et remarqua aussitôt la poussière et la saleté qui maculaient le sol. Depuis que Florence, la détestable femme de ménage de Mr. J.L.B. Matekoni, avait été envoyée en prison pour détention illégale d'arme à feu, la maison restait livrée à l'abandon. Mma Ramotswe avait plusieurs fois rappelé à

Mr. J.L.B. Matekoni qu'il devait engager une rempla-
çante, au moins jusqu'au mariage, et il avait promis de
faire le nécessaire. Toutefois, il ne s'en était toujours
pas occupé. Mma Ramotswe résolut d'amener bientôt
sa propre employée de maison pour tenter un grand
nettoyage de printemps.

— Les hommes peuvent vivre dans un désordre
incroyable quand personne n'intervient, avait-elle fait
remarquer un jour à une amie. Ils ne savent pas entretenir une maison ou un jardin. Ils en sont incapables,
tout simplement.

Elle emprunta le couloir pour gagner le salon et
vit Mr. J.L.B. Matekoni allongé sur son inconfortable
canapé. Il se leva à son arrivée et tenta de remettre un
semblant d'ordre à sa tenue débraillée.

— Ta visite me fait plaisir, Mma Ramotswe,
déclara-t-il. Voilà plusieurs jours qu'on ne s'était pas
vus.

— C'est vrai, répondit Mma Ramotswe. C'est
peut-être parce que tu as eu beaucoup de travail.

— Oui, soupira-t-il en se rasseyant. J'ai eu
beaucoup de travail. Il y a tellement à faire !

Elle l'observa en silence. Quelque chose n'allait
pas. Elle ne s'était pas trompée.

— Il y a beaucoup à faire au garage en ce moment ?
interrogea-t-elle.

Il haussa les épaules.

— Il y a toujours beaucoup à faire au garage.
Toujours. Les gens ne cessent de m'apporter leur
voiture et ils me demandent de réparer ci ou ça. Ils
croient que j'ai dix paires de mains. Ils ne se rendent
pas compte.

— Mais n'est-ce pas normal que les gens t'apportent leur voiture ? hasarda Mma Ramotswe avec
douceur. N'est-ce pas à cela que sert un garage ?

Mr. J.L.B. Matekoni lui jeta un coup d'œil, puis haussa de nouveau les épaules.

— Peut-être, admit-il. N'empêche qu'il y a trop de travail.

Mma Ramotswe balaya la pièce du regard. Des journaux étaient éparpillés dans un coin et elle remarqua une pile de courrier intact sur la table.

— Je viens du garage, expliqua-t-elle. Je pensais te trouver là-bas, mais on m'a dit que tu étais parti tôt. Il paraît que cela t'arrive souvent ces derniers temps.

Mr. J.L.B. Matekoni la contempla, puis baissa les yeux.

— J'ai du mal à rester là-bas la journée entière, avec tout ce travail, dit-il. Quoi qu'il en soit, la besogne finira bien par se faire. Il y a les deux garçons. Ils peuvent se débrouiller.

Mma Ramotswe tressaillit.

— Les deux garçons ? Tes deux apprentis ? Mais tu m'as toujours dit que c'étaient des incapables ! Comment peux-tu prétendre maintenant qu'ils sauront faire tout ce qu'il y a à faire ? Comment peux-tu dire cela ?

Mr. J.L.B. Matekoni garda le silence.

— Eh bien, Mr. J.L.B. Matekoni ? insista Mma Ramotswe. J'attends ta réponse !

— Ils y arriveront, assura-t-il d'une voix étonnamment terne. Il faut leur faire confiance.

Mma Ramotswe se leva. Il ne servait à rien de discuter avec lui lorsqu'il était de cette humeur – car c'était bien de son humeur qu'il semblait s'agir. Peut-être était-il malade ? Elle avait entendu parler d'une grippe qui rendait léthargique pendant une semaine ou deux. N'était-ce pas l'explication de ce comportement insolite ? Auquel cas, il suffisait d'attendre et tout rentrerait dans l'ordre.

— J'ai parlé à Mma Makutsi, déclara-t-elle en se préparant à partir. Je pense qu'elle pourra commencer à travailler au garage dans quelques jours. Je lui ai donné le titre de directrice adjointe. J'espère que cela ne t'ennuie pas.

La réponse qu'il lui fit l'abasourdit.

— Directrice adjointe, directrice en chef, PDG, ministre des garages… dit-il. Tout ce que tu voudras. Cela ne change rien, de toute façon.

Incapable de trouver une repartie satisfaisante, Mma Ramotswe prit congé et se dirigea vers la sortie.

— Ah, au fait ! lança Mr. J.L.B. Matekoni. Je pensais aller à la campagne pendant quelque temps. J'aimerais voir comment poussent les cultures. J'y resterai peut-être un bon moment.

Mma Ramotswe le dévisagea.

— Et pendant ce temps, que se passera-t-il au garage ?

Mr. J.L.B. Matekoni soupira.

— Je te laisse t'en occuper. Toi et ta secrétaire, la directrice adjointe. Laisse-la faire. Ça ira très bien.

Mma Ramotswe pinça les lèvres.

— D'accord, répondit-elle. Nous nous occuperons de tout, Mr. J.L.B. Matekoni. Jusqu'à ce que tu ailles mieux.

— Mais je vais bien ! protesta Mr. J.L.B. Matekoni. Ne te fais pas de souci pour moi. Je vais bien.

Elle ne rentra pas chez elle, sur Zebra Drive, bien qu'elle fût attendue par ses deux enfants adoptifs. Motholeli, la petite fille, avait déjà dû préparer le dîner et, malgré son fauteuil roulant, elle n'avait besoin ni d'aide ni de surveillance. Quant à Puso, c'était un garçon très agité, mais il avait sans doute dépensé une bonne part de son énergie dans la journée et devait se sentir prêt à prendre son bain et à se coucher. Motholeli avait assez d'autorité sur lui pour s'en occuper.

Elle emprunta donc Kudu Road sur la gauche et longea les immeubles jusqu'à la maison d'Odi Way où vivait son ami le Dr Moffat. Ce dernier, qui dirigeait l'hôpital de Mochudi, avait soigné son père et se rendait toujours disponible pour l'écouter lorsqu'elle traversait des passes difficiles. C'était à lui, avant tout autre, qu'elle avait parlé de Note à l'époque. Il lui avait expliqué, avec toute la délicatesse dont il était capable, qu'à sa connaissance les hommes de ce genre ne changeaient jamais.

— N'espère pas le voir se transformer, l'avait-il prévenue. Il est rare que les hommes comme lui évoluent.

Il travaillait beaucoup, bien sûr, et elle répugnait à le déranger, mais elle décida malgré tout de passer voir s'il était chez lui. Pourrait-il faire la lumière sur l'attitude de Mr. J.L.B. Matekoni ? Peut-être sévissait-il dans la région une nouvelle infection qui rendait fatigué et apathique ? Si tel était le cas, combien de temps cet état durait-il ?

Le Dr Moffat venait d'arriver. Il accueillit Mma Ramotswe à la porte et l'entraîna dans son bureau.

— Je me fais du souci pour Mr. J.L.B. Matekoni, expliqua-t-elle. Voilà ce qui se passe.

Il l'écouta quelques minutes, puis l'interrompit.

— Je crois savoir de quel trouble il s'agit, déclara-t-il. Il existe un état que l'on appelle dépression. C'est une maladie comme une autre, une maladie assez fréquente. D'après ce que je viens d'entendre, j'ai l'impression que Mr. J.L.B. Matekoni est dépressif.

— Et existe-t-il un traitement pour cette maladie ?

— Oui, un traitement assez simple, répondit le Dr Moffat. Enfin, à supposer qu'il s'agisse bien de

53

dépression. Nous disposons depuis peu de très bons antidépresseurs. Si tout se passe bien – et il n'y a aucune raison que cela se passe mal –, nous pourrons faire en sorte qu'il commence à se sentir mieux au bout de trois semaines environ, peut-être même un peu avant. Il faut un certain temps pour que ces produits agissent.

— Je vais lui dire de venir vous voir tout de suite, résolut Mma Ramotswe.

Le Dr Moffat parut sceptique.

— Parfois, expliqua-t-il, les patients n'ont pas l'impression d'être malades. Il est possible qu'il refuse de venir. Il m'est très facile de te donner un diagnostic probable, mais le traitement, c'est lui qui doit venir le réclamer.

— Oh, je le persuaderai de venir, affirma Mma Ramotswe. Vous pouvez compter là-dessus. Je m'assurerai qu'il vous demande ce traitement.

Le médecin sourit.

— Méfie-toi, Mma Ramotswe, dit-il. Ce genre de démarche est plus ardu qu'il n'y paraît.

CHAPITRE V

L'Homme d'État

Le lendemain matin, Mma Ramotswe se trouvait à l'Agence N° 1 des Dames Détectives quand Mma Makutsi arriva. Cela se produisait rarement : en règle générale, Mma Makutsi avait déjà ouvert le courrier et préparé le thé lorsque Mma Ramotswe s'installait au volant de sa petite fourgonnette blanche pour partir au travail. Toutefois, la journée s'annonçait difficile et il fallait dresser une liste de tout ce qu'il y avait à faire.

— Vous êtes bien matinale, Mma, fit remarquer Mma Makutsi en entrant. Quelque chose ne va pas ?

Mma Ramotswe réfléchit. À vrai dire, il n'y avait pas grand-chose qui allait, mais comme elle ne tenait pas à décourager Mma Makutsi, elle s'efforça de faire bonne figure.

— Non, pas vraiment, répondit-elle. Seulement, il faut commencer à préparer le déménagement. Et puis, il devient urgent que vous alliez mettre un peu d'ordre au garage. Mr. J.L.B. Matekoni ne se sent pas très en forme et il est possible qu'il s'absente quelque temps. Cela signifie que vous serez non seulement directrice adjointe, mais carrément directrice par intérim. C'est votre nouveau titre à compter de ce matin.

Mma Makutsi afficha un sourire rayonnant.

— Je ferai de mon mieux au poste de directrice par intérim, assura-t-elle. Je vous promets de ne pas vous décevoir.

— Mais je suis sûre que vous ne me décevrez pas ! s'exclama Mma Ramotswe. Je connais votre efficacité professionnelle.

Durant une heure, elles travaillèrent côte à côte en silence. Mma Ramotswe établit sa liste de choses à faire, puis barra certaines lignes pour en ajouter d'autres. Cette heure matinale représentait le meilleur moment pour l'action, surtout à la saison chaude. À cette époque de l'année, avant l'arrivée des pluies, la température grimpait à mesure que les heures s'égrenaient, jusqu'au moment où le ciel prenait une teinte blanche. Dans la fraîcheur du matin, lorsque le soleil se contentait de réchauffer les corps et que l'air était vif, toutes les activités semblaient possibles. Plus tard, dans la pleine chaleur du jour, la léthargie s'emparait des corps et des esprits. Il était facile de réfléchir le matin – de dresser des listes de tâches, par exemple. L'après-midi, en revanche, on ne pouvait qu'attendre patiemment la fin du jour et la dissipation de la chaleur. C'était l'un des défauts du Botswana, pensait Mma Ramotswe. Elle savait qu'elle vivait dans le pays parfait – tous les Batswana savaient cela –, mais ce pays se fût révélé plus parfait encore si l'on avait trouvé un moyen de rafraîchir les trois mois chauds.

À neuf heures, Mma Makutsi prépara du thé rouge pour Mma Ramotswe et du thé ordinaire pour elle-même. Elle avait tenté de s'accoutumer au thé rouge, l'avalant avec loyauté durant ses premiers mois à l'agence, mais avait fini par abdiquer, avouant qu'elle n'en aimait pas du tout le goût. Depuis, il y avait toujours deux théières : une pour elle et l'autre pour Mma Ramotswe.

— Il est beaucoup trop fort, expliqua-t-elle. Et je trouve qu'il a… une odeur de rat.

— Mais pas du tout ! protesta Mma Ramotswe. Ce thé est destiné aux vrais amateurs. Le thé ordinaire convient à tout le monde.

Le travail cessa dès que le thé fut servi. Cette pause du matin donnait traditionnellement l'occasion de se tenir au courant des derniers bruits qui circulaient en ville, sans aborder les grandes questions. Mma Makutsi demanda des nouvelles de Mr. J.L.B. Matekoni et eut droit à un bref compte rendu de la rencontre infructueuse qui avait eu lieu.

— On dirait qu'il ne s'intéresse plus à rien, expliqua Mma Ramotswe. J'aurais pu lui dire que sa maison flambait, je crois qu'il ne se serait pas inquiété. C'est très étrange.

— J'ai déjà vu des gens dans cet état, affirma Mma Makutsi. J'ai même une cousine qui a été envoyée à l'hôpital de Lobatse pour cela. Je suis allée lui rendre visite. Il y avait plein de gens qui restaient assis sans rien faire, à contempler le ciel, et d'autres qui hurlaient après les visiteurs. Ils criaient des choses bizarres, des choses qui n'avaient aucun sens.

Mma Ramotswe fronça les sourcils.

— Vous me parlez d'un hôpital pour les fous, dit-elle. Mr. J.L.B. Matekoni n'est pas fou.

— Bien sûr que non ! se récria Mma Makutsi en toute hâte. Il n'est absolument pas fou. Bien sûr que non.

Mma Ramotswe but une gorgée de thé.

— Mais il faut quand même que je l'envoie chez le médecin, reprit-elle. Il paraît que l'on peut soigner les comportements de ce genre. On appelle cela la dépression. Il existe des cachets contre ce mal.

— C'est une très bonne chose, acquiesça Mma Makutsi. Avec ces cachets, il ira mieux, j'en suis sûre.

Mma Ramotswe tendit sa tasse pour la faire remplir.

— Et comment se porte votre famille de Bobonong ? s'enquit-elle. Tout le monde va bien là-bas ?

Mma Makutsi versa le riche thé rouge.

— Ça va très bien, je vous remercie, Mma.

Mma Ramotswe poussa un soupir.

— J'ai l'impression que la vie est plus facile à Bobonong qu'ici, à Gaborone. Ici, nous rencontrons sans cesse des problèmes qu'il faut résoudre. À Bobonong, il n'y a rien. Rien que des tas de cailloux.

Elle s'interrompit brusquement.

— Enfin, Bobonong est un endroit très bien, évidemment, se reprit-elle. Une très jolie région.

Mma Makutsi s'esclaffa.

— Vous savez, ce n'est pas la peine d'être polie avec Bobonong ! dit-elle. Moi, je peux en rire ! Bobonong n'est bien pour personne. D'ailleurs, maintenant que je connais Gaborone, je n'ai aucune envie d'y retourner.

— Vos talents seraient gaspillés là-bas, renchérit Mma Ramotswe. À quoi servirait un diplôme de l'Institut de secrétariat du Botswana dans un lieu comme Bobonong ? Les fourmis le mangeraient.

Mma Makutsi leva les yeux vers le mur où était accroché son diplôme de l'Institut de secrétariat du Botswana.

— Il ne faudra pas l'oublier quand nous déménagerons, dit-elle. Je n'aimerais pas le laisser derrière moi.

— Évidemment ! fit Mma Ramotswe, qui ne possédait aucun diplôme. Il est important pour la clientèle. Il inspire confiance.

— Merci, répondit Mma Makutsi.

Une fois la pause terminée, Mma Makutsi alla laver les tasses au tuyau, derrière la maison. Ce fut au moment où elle revenait que le client se présenta.

C'était le premier en une semaine et ni l'une ni l'autre n'était préparée à accueillir ce grand homme bien bâti qui, conformément aux règles de politesse botswanaises, frappa à la porte et patienta jusqu'à ce qu'on l'invite à entrer. Elles ne s'attendaient pas non plus au fait que la voiture qui l'avait déposé, conduite par un chauffeur du gouvernement en tenue impeccable, fût une Mercedes Benz tout ce qu'il y avait de plus officiel.

— Vous savez qui je suis, Mma ? interrogea le visiteur en acceptant le siège que lui désignait Mma Ramotswe.

— Bien sûr, Rra, répondit Mma Ramotswe avec courtoisie. Vous êtes quelqu'un qui a un rôle dans le gouvernement. Vous êtes un Homme d'État. Je vous ai vu très souvent dans les journaux.

L'Homme d'État esquissa un geste impatient.

— Oui, il y a cela, certes. Mais savez-vous qui je suis quand je ne suis pas au gouvernement ?

Mma Makutsi toussa poliment et l'Homme d'État se tourna vers elle.

— Je vous présente mon assistante, dit Mma Ramotswe. Elle connaît énormément de choses.

— Vous êtes également apparenté à un chef, intervint Mma Makutsi. Votre père est cousin de cette famille. Je le sais parce que je suis originaire de la même région.

L'Homme d'État sourit.

— C'est exact.

— Et votre épouse, ajouta Mma Ramotswe, est une parente du roi du Lesotho, n'est-ce pas ? J'ai vu sa photographie à elle aussi.

L'Homme d'État émit un petit sifflement admiratif.

— Eh bien ça, par exemple ! Je vois que j'ai frappé à la bonne porte ! Vous semblez connaître beaucoup de choses.

Mma Ramotswe adressa un hochement de tête à Mma Makutsi et sourit.

— C'est notre métier, commenta-t-elle. Un détective privé qui ne serait au courant de rien ne servirait à rien ni à personne. Notre travail repose sur l'information. Tout comme votre travail à vous consiste à donner des ordres aux fonctionnaires.

— Je ne fais pas que donner des ordres, protesta l'Homme d'État avec un soupçon de mauvaise humeur. Je dois également définir des politiques. Prendre des décisions.

— Bien sûr, s'empressa de répondre Mma Ramotswe. Faire partie du gouvernement ne doit pas être de tout repos.

L'Homme d'État hocha la tête.

— Ce n'est pas facile, en effet. Et c'est encore moins facile lorsqu'on est préoccupé. Chaque nuit, je me réveille vers deux ou trois heures du matin et les soucis m'empêchent de me rendormir. Or, quand je manque de sommeil et que je dois prendre des décisions le matin, j'ai l'esprit si confus que je ne parviens pas à réfléchir. Voilà ce qui se passe quand on a des soucis.

Mma Ramotswe comprit qu'ils en arrivaient à l'objet de la consultation. C'était la manière la plus simple d'aborder les choses, en laissant le client amener lui-même le sujet de façon indirecte, plutôt qu'en se lançant tout de go dans un interrogatoire. Une approche nettement moins brutale…

— Nous savons combattre les soucis, assura Mma Ramotswe. Parfois, nous parvenons même à les faire totalement disparaître.

— C'est ce que j'ai entendu dire, répondit l'Homme d'État. Il paraît que vous faites parfois des miracles. C'est ce qu'on raconte, en tout cas.

— Vous êtes très aimable, Rra.

Elle s'interrompit pour imaginer les différentes possibilités qui s'offraient. La plus probable était un problème d'infidélité. C'était le motif de consultation dominant parmi les clients qui venaient la voir, surtout si, comme l'Homme d'État, on était quelqu'un de très occupé et qu'on passait peu de temps chez soi. Il pouvait également s'agir d'une affaire politique, ce qui représenterait pour elle un terrain nouveau. Elle ne savait rien des rouages du pouvoir, sinon que les intrigues y allaient bon train. Elle avait tout lu sur les présidents américains et les problèmes qu'ils rencontraient avec tel ou tel scandale impliquant des femmes, des cambrioleurs et ainsi de suite. Mais pouvait-il se passer de telles choses au Botswana ? Certainement pas, et si oui, elle préférait ne pas s'en mêler. Elle ne se voyait pas rencontrer des informateurs dans des ruelles sombres au plus profond de la nuit ni converser à voix basse avec des journalistes dans des bars enfumés. En revanche, Mma Makutsi apprécierait peut-être cette opportunité…

L'Homme d'État leva la main comme pour intimer le silence. C'était un geste impérieux, mais lorsqu'on descendait d'une famille influente, ces choses-là venaient peut-être naturellement.

— Je suppose que je peux parler en toute confidentialité, dit-il avec un rapide coup d'œil du côté de Mma Makutsi.

— Mon assistante est une femme de confiance, assura Mma Ramotswe. N'ayez aucune inquiétude.

L'Homme d'État fronça les sourcils.

— Je l'espère, répondit-il. Je sais comment sont les femmes. Elles adorent parler.

Les yeux de Mma Makutsi s'écarquillèrent d'indignation.

— Je puis vous certifier, Rra, déclara Mma Ramotswe, que l'Agence N° 1 des Dames Détectives est liée par le principe de confidentialité le plus strict. Le plus strict. Et cela vaut non seulement pour moi, mais aussi pour cette dame qui est là, Mma Makutsi. Si vous avez le moindre doute à ce sujet, mieux vaut que vous alliez trouver d'autres détectives. Nous n'y verrons aucune objection.

Elle marqua une pause, puis ajouta :

— Et je voudrais vous dire autre chose, Rra. On parle énormément dans ce pays, c'est vrai, mais, à mon avis, les gens qui parlent sont surtout des hommes. Les femmes sont en général trop occupées pour cela.

Elle croisa les mains sur son bureau. Elle avait dit ce qu'elle avait à dire et il ne faudrait pas s'étonner si l'Homme d'État se levait et sortait. Un monsieur de son importance ne devait pas avoir l'habitude de s'entendre répondre sur ce ton et tout portait à croire qu'il ne le prendrait pas bien.

Pendant quelques instants, l'Homme d'État resta silencieux, se contentant de regarder fixement Mma Ramotswe.

— Bon, déclara-t-il enfin. Vous avez tout à fait raison. Je suis navré d'avoir douté de votre aptitude à garder les secrets.

Il se tourna vers Mma Makutsi :

— Je suis désolé d'avoir manifesté la même défiance à votre encontre, Mma. Ce n'était pas la chose à dire.

Mma Ramotswe sentit la tension s'apaiser.

— Parfait, dit-elle. À présent, si vous nous exposiez vos soucis ? Mon assistante va faire chauffer de l'eau. Préférez-vous le thé rouge ou le thé ordinaire ?

— Le rouge, répondit-il. Le thé rouge est bon pour les soucis, je crois.

— Comme vous n'ignorez pas qui je suis, déclara l'Homme d'État, il est inutile que je commence par le début, ou, du moins, par le début du début. Vous savez que je suis le fils d'un homme important. Vous le savez. De plus, je suis l'aîné, ce qui signifie que je me retrouverai chef de famille lorsque Dieu rappellera mon père auprès de lui. Mais je souhaite que cela se produise le plus tard possible.

« J'ai deux frères. L'un d'eux a un problème dans sa tête, il ne parle à personne. Il n'a jamais communiqué avec quiconque ni manifesté d'intérêt pour quoi que ce soit depuis l'enfance. Nous l'avons donc envoyé à un poste de bétail, où il est heureux. Il y demeure en permanence sans gêner personne. Il se contente de rester assis à compter les bêtes et, lorsqu'il a terminé, il recommence. Il ne veut rien faire d'autre dans la vie, bien qu'il ait trente-huit ans déjà.

« Et puis, il y a mon autre frère. Celui-ci est beaucoup plus jeune. Moi, j'ai cinquante-quatre ans et lui n'en a que vingt-six. Mes parents ont eu aussi beaucoup de filles – j'ai neuf sœurs, dont la plupart sont mariées et ont des enfants. Nous formons donc une grande famille, mais celle-ci est petite par le nombre de garçons qui comptent, puisqu'il n'y a en fait que moi-même et mon frère de vingt-six ans. Il s'appelle Mogadi.

« Je lui suis extrêmement attaché. En raison de notre différence d'âge, je me souviens très bien de l'époque où il était bébé. Quand il a commencé à grandir, je lui ai appris beaucoup de choses. Je lui montrais comment trouver des vers de mopane, comment attraper les fourmis volantes lorsqu'elles sortent de leur trou, au début de la saison des pluies. Je lui expliquais ce que l'on pouvait manger dans le bush et ce qu'il ne fallait surtout pas toucher.

« Et puis, un jour, il m'a sauvé la vie. Nous étions partis à un poste de bétail où mon père garde une partie de son troupeau. Il y avait là-bas quelques Basarwa, car ce poste de bétail n'est pas très éloigné du territoire où vivent ces gens, dans le Kalahari. C'est une région très aride, mais il y a un moulin à vent que mon père a fait construire afin de pomper de l'eau pour le bétail. L'eau est abondante en profondeur, et elle est de très bonne qualité. Ces Basarwa aimaient venir boire là lorsqu'ils passaient à proximité. Ils rendaient quelques services à mon père qui, en échange, leur donnait du lait et, s'ils avaient de la chance, un peu de viande. Ils aimaient bien mon père parce qu'il ne les battait jamais, contrairement à d'autres, qui les fouettent à coups de *sjambok*[1]. Je n'ai jamais approuvé la violence à l'encontre de ces gens. Jamais.

« J'ai emmené mon frère rencontrer des Basarwa qui s'étaient installés sous un arbre, à une faible distance. Ils fabriquaient des lance-pierres en cuir d'autruche et je voulais lui en offrir un. J'avais emporté de la viande à leur donner en échange. J'espérais qu'ils nous feraient aussi cadeau d'un œuf d'autruche.

« C'était juste après les pluies et il y avait des fleurs et de l'herbe fraîche. Vous savez comment c'est là-bas, Mma, à l'arrivée des pluies. La terre devient soudain souple et il pousse des fleurs, des fleurs partout. C'est vraiment magnifique, au point que l'on oublie comme tout a été chaud, sec et dur. Nous marchions sur un sentier que les bêtes avaient tracé de leurs sabots. J'avançais devant et mon petit frère suivait, juste derrière moi. Il tenait un long bâton qu'il laissait traîner au sol. J'étais heureux d'être là,

---

1. Gros fouet en cuir de rhinocéros *(N.d.T.)*

avec lui, dans cette herbe fraîche qui allait permettre au bétail d'engraisser de nouveau.

« Mon frère a soudain poussé un cri et je me suis arrêté net. Là, dans l'herbe, à côté de nous, il y avait un serpent, la tête levée et la gueule grande ouverte. Il sifflait. C'était un serpent énorme, aussi long que je suis grand, et son corps s'était soulevé du sol de la hauteur d'un bras. J'ai tout de suite compris de quelle sorte de serpent il s'agissait et mon cœur a cessé de battre.

« Je suis resté absolument immobile, car je savais que le serpent attaquerait au moindre mouvement, et il était tout proche, vraiment tout proche. Il me regardait avec ces yeux méchants qu'ont les mambas ; j'ai pensé qu'il allait me mordre et que je ne pouvais absolument rien faire pour l'en empêcher.

« À cet instant, j'ai entendu un raclement et j'ai vu mon petit frère, qui n'avait que onze ou douze ans à l'époque, approcher son bâton de l'animal en poussant la pointe sur le sol. Le serpent a tourné la tête et, avant même que nous ayons compris ce qui se passait, il a mordu le bâton. Cela m'a donné le temps de me retourner, de saisir mon frère et de filer sur le sentier. Le serpent a disparu. Peut-être s'était-il cassé un crochet en mordant le bois. Quoi qu'il en soit, il n'a pas choisi de nous poursuivre.

« Mon frère m'a sauvé la vie. Vous savez, Mma, ce qu'il advient lorsqu'on se fait mordre par un mamba. On n'a aucune chance d'en réchapper. Dès lors, j'ai su que je devais la vie à mon petit frère.

« C'était il y a quatorze ans. Désormais, nous ne nous promenons plus beaucoup dans le bush tous les deux, mais je continue à l'aimer tendrement. Voilà pourquoi j'ai été très malheureux lorsqu'il est venu me voir ici, à Gaborone, pour me dire qu'il allait épouser une fille rencontrée à l'université. Il était étudiant en licence de biologie quand il a connu cette jeune fille, qui vient de Mahalapye, et dont le père travaille comme employé dans un ministère, à Gaborone. Je vois souvent cet homme assis sous les arbres, avec des collègues à lui, à l'heure du déjeuner. Désormais, il me fait toujours de grands signes quand je passe en voiture. Au début, je répondais, mais maintenant, j'en ai assez. Pourquoi devrais-je saluer cet employé à chaque fois, sous prétexte que sa fille a rencontré mon frère ?

« Mon frère vit dans la ferme que possède ma famille, au nord de Pilane. Il la gère bien et mon père se montre très satisfait de son travail. En réalité, mon père lui a donné cette ferme et elle lui appartient à présent. Cela fait de lui un homme très riche. Pour ma part, je suis propriétaire d'une autre ferme, qui me vient aussi de mon père, si bien que je ne suis pas jaloux. Mogadi a épousé cette fille voici trois mois et elle s'est s'installée avec lui à la ferme. Mon père et ma mère vivent là-bas avec eux, mes tantes y séjournent une grande partie de l'année. C'est une maison très vaste et il y a de la place pour tout le monde.

« Ma mère n'était pas du tout favorable à ce mariage. Elle affirmait que cette femme ne ferait pas une bonne épouse et amènerait le malheur dans la famille. Je trouvais moi aussi que ce n'était pas une bonne idée, mais pas pour les mêmes raisons : en fait, je croyais savoir pourquoi cette femme avait choisi mon frère. Selon moi, elle n'était pas amoureuse de lui ; c'était son père qui la poussait, parce que mon frère appartenait à une famille riche et influente. Je n'oublierai jamais, Mma, la façon dont cet homme a inspecté la maison lorsqu'il est venu discuter du mariage avec mon père. Il avait les yeux brillants de convoitise et je le voyais additionner mentalement la valeur de chaque objet. Il a même demandé à mon frère combien de têtes comptait son cheptel – et cela, de la part d'un homme qui n'a jamais possédé de bétail, j'imagine !

« Malgré ma réticence, j'ai tout de même accepté la décision de mon frère et me suis efforcé de me montrer aimable avec sa nouvelle épouse. Cela n'a pas été facile, car j'avais toujours l'impression qu'elle manigançait des stratagèmes pour dresser mon frère contre la famille. Il était évident qu'elle cherchait à chasser mon père et ma mère de la ferme, et elle s'était rendue détestable vis-à-vis de mes tantes. Elle était comme une guêpe qui se retrouve piégée dans une maison, ne cesse de bourdonner et essaie de piquer tout le monde.

« La situation était déjà bien assez pénible sans un incident qui m'a inquiété davantage encore. Il y a quelques semaines, je suis allé voir mon frère à la ferme. À mon arrivée, on m'a dit qu'il ne se sentait pas très bien. Je me suis aussitôt rendu dans sa chambre. Il était au lit et se tordait de douleur. Il avait mangé quelque chose de mauvais, m'a-t-il expliqué. Peut-être de la viande avariée.

« Je lui ai demandé s'il avait consulté un médecin et il m'a dit que ce n'était pas si grave que cela. Il serait rétabli sous peu, pensait-il, même s'il avait vraiment très mal pour le moment. Je suis alors allé trouver ma mère, qui était sur la véranda.

« Elle m'a invité à m'asseoir à côté d'elle et, après avoir vérifié que personne ne pouvait nous entendre, m'a parlé de ses inquiétudes.

« – Cette nouvelle femme cherche à empoisonner ton frère, m'a-t-elle dit. Je l'ai vue se rendre à la cuisine avant le repas. Je l'ai vue. J'ai conseillé à Mogadi de ne pas terminer sa viande parce que j'étais sûre qu'elle était avariée. Si je ne le lui avais pas dit, il aurait terminé son assiette et il serait mort. Elle cherche à l'empoisonner, c'est certain.

« Je lui ai demandé pourquoi cette femme aurait de telles idées.

« – Elle vient d'épouser un homme riche et gentil, lui dis-je. Pourquoi voudrait-elle se débarrasser de lui aussi vite ?

« Ma mère s'est mise à rire.

« – Mais parce qu'elle sera bien plus riche une fois veuve ! s'est-elle exclamée. S'il meurt avant qu'elle ait des enfants, tout ce qu'il possède lui revient. Il a rédigé un testament dans ce sens. Il lui donne tout : la ferme, cette maison, tout. Une fois qu'elle sera parvenue à ses fins, elle pourra nous chasser, ton père, moi et toutes les tantes. Mais d'abord, elle doit le tuer.

« J'ai d'abord trouvé cette idée ridicule, mais en y réfléchissant, j'ai compris que cela fournissait un mobile de meurtre évident et que c'était peut-être vrai. Je ne pouvais pas en parler à mon frère, car il refusait d'entendre la moindre critique à l'encontre de son épouse. J'ai donc pensé qu'il valait mieux faire venir une personne extérieure à la famille pour examiner la situation et découvrir ce qui se passait vraiment.

Mma Ramotswe leva la main pour l'interrompre.

— Il y a la police, Rra. Cette affaire est de son ressort. La police a l'habitude des crimes. Nous, nous ne menons pas ce genre d'enquêtes. Nous aidons les gens qui ont des problèmes dans leur vie. Nous ne sommes pas là pour élucider des meurtres.

Tandis qu'elle parlait, Mma Ramotswe vit la déception marquer les traits de Mma Makutsi. Elle savait que son assistante avait une autre vision des choses. C'est la différence, songea-t-elle, entre une personne de près de quarante ans et une de vingt-huit. À près de quarante ans – et même quarante ans sonnés, si l'on était très à cheval sur les dates –, on n'était pas à l'affût d'aventure et d'émotions fortes. À vingt-huit ans, si une telle occasion se présentait, on n'avait pas envie de la laisser échapper. Mma Ramotswe comprenait, bien sûr. Lorsqu'elle avait épousé Note, par exemple, c'était le prestige de devenir la femme d'un musicien célèbre qui l'avait séduite, le sentiment enivrant d'être mariée à un homme qui faisait tourner les têtes dès qu'il entrait quelque part et dont la voix même évoquait les palpitantes notes de jazz qu'il tirait de son étincelante trompette Selmer. Lorsque leur union avait pris fin, au terme d'une durée lamentablement courte, avec pour seul souvenir cette petite pierre triste qui marquait la vie éphémère de leur bébé prématuré, elle avait aspiré à une existence stable et ordonnée. Désormais, elle n'éprouvait plus la moindre attirance pour l'exaltation. D'ailleurs, Clovis Andersen, auteur des *Principes de l'investigation privée*, sa bible professionnelle, mettait clairement le lecteur en garde, en page deux, sinon en toute première page : ceux qui devenaient détectives privés dans le but de pimenter leur vie se méprenaient sur la nature du métier. *Notre travail*, écrivait-il dans un paragraphe resté gravé dans la mémoire de Mma Ramotswe et qu'elle avait cité dans son intégralité à Mma Makutsi le jour de son embauche, *consiste à aider les gens qui ont besoin d'élucider les questions non résolues de leur vie. Il y a très peu de place pour le grand spectacle dans notre vocation : il s'agit plutôt d'un patient processus d'observation, de déduction et d'analyse. Nous sommes des veilleurs intelligents, qui guettons et rapportons des faits. Il n'y a pas le moindre romantisme dans notre métier et à ceux qui recherchent l'excitation, je conseillerais de reposer ce manuel et de faire autre chose.*

Le regard de Mma Makutsi avait perdu de son éclat lorsque Mma Ramotswe lui avait cité ces lignes. Il était évident que la nouvelle venue considérait les choses sous un angle fort différent. À présent, face à un individu qui n'était rien de moins qu'Homme d'État et parlait d'intrigues familiales et d'empoisonnement probable, Mma Makutsi sentait qu'elles avaient enfin à leur portée une enquête qui leur permettrait de se lancer dans une aventure digne de ce nom. Or, au moment où se présentait cette opportunité, Mma Ramotswe faisait tout pour chasser le client !

L'Homme d'État dévisageait Mma Ramotswe. L'intervention de la détective l'avait contrarié et il paraissait faire un effort sur lui-même pour dominer son mécontentement. Mma Makutsi remarqua que sa lèvre supérieure frémissait.

— Je ne peux pas m'adresser à la police, répondit-il d'une voix qu'il maîtrisait mal. Que pourrais-je lui dire ? Elle exigerait des preuves, même de quelqu'un comme moi. Elle m'expliquerait qu'il lui est impossible d'entrer dans une maison et d'arrêter une femme qui crierait son innocence et dont le mari, qui serait là aussi, dirait : *Mais cette femme n'a rien fait. De quoi parlez-vous donc ?*

Il se tut et contempla Mma Ramotswe comme s'il attendait un verdict.

— Alors ? reprit-il d'un ton abrupt. Si je ne peux pas m'adresser à la police, il ne reste plus que les détectives privés. Vous êtes là pour ça, non ? Hein, Mma ?

Mma Ramotswe soutint son regard, ce qui revêtait une signification. Dans la société traditionnelle, il ne lui eût pas été possible de regarder dans les yeux un homme de son rang. Cela eût semblé indécent. Mais les temps avaient changé et elle était désormais citoyenne de la République du Botswana, un pays moderne dont la Constitution garantissait la dignité de tous les citoyens, y compris les femmes détectives. La Constitution était en vigueur depuis ce jour de 1966 où l'on avait descendu l'Union Jack dans le stade pour hisser à sa place le magnifique drapeau bleu, devant une foule en liesse. C'était un exploit dont nul autre pays d'Afrique, nul autre, ne pouvait s'enorgueillir. En outre, n'était-elle pas Precious Ramotswe, fille du défunt Obed Ramotswe, un homme dont la dignité et la valeur n'avaient pas d'égales, famille de chefs ou non ? Obed Ramotswe avait pu regarder n'importe qui dans les yeux jusqu'au soir même de sa mort, et elle devait pouvoir en faire autant.

— C'est à moi qu'il revient de décider si j'accepte ou non une affaire, Rra, déclara-t-elle. Je ne peux pas aider tout le monde. J'essaie de venir au secours des gens dans la mesure de mes moyens, pourtant si je sens qu'une chose est impossible, je réponds que je suis désolée, mais que je ne peux rien faire. C'est ainsi que nous travaillons à l'Agence N° 1 des Dames Détectives. Dans votre cas, je ne vois pas du tout comment nous pourrions trouver ce que nous devrions trouver. C'est un problème interne à votre famille. Il me paraît impossible à une étrangère de découvrir quoi que ce soit.

L'Homme d'État demeura silencieux. Il jeta un coup d'œil à Mma Makutsi, mais celle-ci baissa le regard.

— Je vois, dit-il après un long moment. J'ai l'impression que vous n'avez aucune envie de m'aider, Mma. Je trouve cela bien triste.

Il marqua un temps d'arrêt, puis reprit :

— Possédez-vous une licence pour l'activité que vous exercez, Mma ?

Mma Ramotswe tressaillit.

— Une licence ? Existe-t-il une loi disant qu'il faut une licence pour être détective privé ?

L'Homme d'État sourit, mais ses yeux restèrent froids.

— Peut-être pas. Je n'ai pas vérifié. Mais c'est possible. Les règlements, vous comprenez. Nous sommes obligés de réglementer les activités. C'est pourquoi il existe des licences obligatoires pour le démarchage à domicile ou le commerce en général, licences que nous pouvons retirer aux personnes qui n'ont pas les qualifications pour être démarcheurs ou commerçants. Vous savez comment cela fonctionne…

Ce fut Obed Ramotswe qui répondit, Obed Ramotswe, par la bouche de sa fille, sa Precious.

— Je n'entends pas ce que vous me dites, Rra. Je n'entends pas du tout.

À ces mots, Mma Makutsi se mit à fourrager bruyamment dans ses papiers.

— Vous avez raison, bien sûr, Mma, intervint-elle soudain. Vous ne pouvez pas aller voir cette femme et lui demander de but en blanc si elle a l'intention d'assassiner son mari. Vous n'auriez aucune chance de succès.

— Non, répondit Mma Ramotswe. C'est pourquoi nous ne pouvons rien dans cette affaire.

— D'un autre côté, reprit Mma Makutsi avec vivacité, j'ai une idée. Je crois savoir comment on pourrait s'y prendre.

L'Homme d'État effectua un demi-tour sur sa chaise pour faire face à Mma Makutsi.

— Quelle est cette idée, Mma ?

Mma Makutsi déglutit. Ses grandes lunettes semblèrent briller de mille feux sous la puissance de son idée.

— Eh bien, commença-t-elle, il est important d'entrer dans cette maison et d'écouter ce que disent les gens. Il est important d'observer cette femme, si elle manigance ces sombres projets. Il est important de sonder son cœur.

— Oui, acquiesça l'Homme d'État. C'est ce que je vous demande de faire. Sonder ce cœur et débusquer le diable. Ensuite, éclairer ce diable avec votre torche et dire à mon frère : Regardez ! Regardez ce mauvais cœur que possède votre épouse. Regardez comme elle complote contre vous, comme elle ne cesse de comploter !

— Ce serait loin d'être aussi simple, protesta Mma Ramotswe. La vie n'est pas aussi simple. Certes non.

— Je vous en prie, Mma, intervint l'Homme d'État. Si nous écoutions jusqu'au bout la femme intelligente qui se cache derrière ces lunettes ? Elle fourmille de bonnes idées.

Mma Makutsi ajusta ses lunettes et poursuivit :

— Il y a des employés dans la maison, n'est-ce pas ?

— Cinq, fit l'Homme d'État. Plus ceux qui logent à l'extérieur. Il y a aussi des gardiens de bétail et les anciens serviteurs de mon père. Ceux-ci ne peuvent plus travailler, mais ils passent leurs journées assis au soleil devant la maison et mon père les nourrit bien. Ils sont très gras.

— Voilà, reprit Mma Makutsi. Un employé qui vit sur place voit tout. Une femme de ménage connaît le lit du mari et de la femme, non ? Un cuisinier connaît leurs estomacs. Les employés sont toujours là, à regarder, regarder encore. Ils discutent entre eux. Ils savent tout.

— Vous voulez donc aller parler aux employés ? interrogea l'Homme d'État. Mais voudront-ils vous parler, eux ? Ils craindront de perdre leur place. Ils se contenteront de garder le silence ou affirmeront qu'il ne se passe rien d'anormal.

— Seulement, Mma Ramotswe sait parler aux gens, contra Mma Makutsi. Les gens se confient volontiers à elle. Je l'ai constaté de mes yeux. Ne pouvez-vous pas faire en sorte qu'on l'accueille quelque temps dans la maison de votre père ? Serait-il possible d'arranger cela ?

— Bien sûr, répondit l'Homme d'État. Je peux dire à mes parents qu'elle m'a rendu un service politique et qu'elle a besoin de s'éloigner quelques jours de Gaborone en raison de certains problèmes. Ils l'accueilleront à bras ouverts.

Mma Ramotswe foudroya Mma Makutsi du regard. Ce n'était pas le rôle d'une assistante de lancer des suggestions de ce genre, surtout quand ces suggestions devaient la conduire à accepter une affaire dont elle n'avait aucune envie de se charger. Il faudrait qu'elle lui en touche deux mots, mais elle ne souhaitait pas l'embarrasser devant cet homme fier aux manières d'aristocrate. Elle accepterait l'affaire, non parce que les menaces à peine voilées avaient fait mouche – elle s'était clairement élevée contre elles en affirmant qu'elle ne les entendait pas –, mais parce qu'on lui avait suggéré une façon de découvrir ce qui devait être découvert.

— Très bien, dit-elle. Nous allons nous en charger, Rra. Mais cela n'a rien à voir avec certaines des choses que vous avez dites, en particulier celles que je n'ai pas entendues.

Elle s'interrompit pour donner tout leur poids à ces paroles.

— Cependant, ce sera à moi de décider comment je m'y prendrai une fois sur place. Vous ne devrez pas intervenir.

L'Homme d'État hocha la tête avec enthousiasme.

— C'est parfait, Mma. Je suis très heureux. Et je suis désolé d'avoir dit des choses que je n'aurais pas dû dire. Vous devez comprendre que mon frère compte beaucoup pour moi. Je n'aurais jamais parlé ainsi si je n'avais pas craint pour sa vie. C'est tout.

Mma Ramotswe le regarda. Cet homme aimait réellement son frère. Il ne devait pas lui être facile de savoir ce dernier marié à une femme qui lui inspirait une telle méfiance.

— J'ai déjà oublié ce qui a été dit, Rra, affirma-t-elle. Ne vous en faites pas.

L'Homme d'État se leva.

— Êtes-vous d'accord pour commencer demain ? demanda-t-il. Je vais mettre au point les détails de votre séjour.

— Non, répondit Mma Ramotswe. Je commencerai dans quelques jours. J'ai beaucoup de choses à régler ici, à Gaborone. Mais ne vous inquiétez pas, si l'on peut faire quoi que ce soit pour votre pauvre frère, soyez sûr que je le ferai. Une fois que nous nous chargeons d'une enquête, nous ne la traitons jamais à la légère. Je vous en donne ma parole.

L'Homme d'État se pencha au-dessus du bureau et lui saisit la main.

— Vous avez bon cœur , Mma. Ce que l'on dit de vous est vrai. Tout à fait vrai.

Il se tourna ensuite vers Mma Makutsi.

— Quant à vous, Mma, vous êtes une femme intelligente. Si un jour vous en avez assez d'être détective privée, venez travailler au gouvernement. Nous avons besoin de femmes comme vous. La plupart de celles que nous employons ne sont pas efficaces. Elles passent leur temps à se faire les ongles. Je les ai vues.

À leur place, vous travailleriez pour de bon, j'en suis persuadé.

Mma Ramotswe allait répondre, mais l'Homme d'État avait déjà atteint la sortie. Par la fenêtre, elles virent le chauffeur ouvrir la portière avec déférence, puis la refermer.

— Si j'allais travailler au gouvernement... commença Mma Makutsi, avant d'ajouter à la hâte : Ce qui n'est pas du tout dans mes intentions, bien sûr... Mais je me demande combien de temps il me faudrait attendre avant de posséder une voiture comme celle-là, avec un chauffeur...

Mma Ramotswe s'esclaffa.

— Il ne faut pas croire tout ce que dit ce monsieur ! s'exclama-t-elle. Les hommes comme lui font d'innombrables promesses. Et puis, il est stupide. Et orgueilleux.

— Mais il disait la vérité au sujet de la femme de son frère, non ? interrogea Mma Makutsi avec anxiété.

— Peut-être, répondit Mma Ramotswe. Je ne pense pas qu'il ait tout inventé. Mais rappelez-vous ce que dit Clovis Andersen. Chaque histoire possède deux faces. Jusqu'à présent, nous n'en connaissons qu'une. La plus stupide.

La vie devient compliquée, songea Mma Ramotswe. Elle venait d'accepter une affaire qui se révélerait des plus ardues et la tiendrait éloignée de Gaborone. Ce dernier inconvénient posait déjà des problèmes en lui-même, mais quand elle songeait à Mr. J.L.B. Matekoni et au Tlokweng Road Speedy Motors, la situation était plus pénible encore. Et puis, il y avait les enfants : maintenant qu'ils étaient bien installés dans la maison de Zebra Drive, il faudrait instaurer pour eux un rythme quotidien. Rose, la femme de ménage, offrait certes une aide précieuse au jour le jour, mais elle ne pouvait assumer seule toute la responsabilité.

La liste que Mma Ramotswe avait commencé à établir ce matin-là débutait avec la préparation du déménagement. Elle songea qu'il serait préférable de faire passer en première place le problème du garage pour reléguer au second rang le rangement de l'agence. Ensuite, elle pourrait penser aux activités des enfants : elle écrivit ÉCOLE en lettres majuscules, accompagné d'un numéro de téléphone. Venaient ensuite, dans l'ordre, APPELER LE RÉPARATEUR POUR LE RÉFRIGÉRATEUR ET CONDUIRE LE FILS DE ROSE CHEZ LE DOCTEUR POUR SON ASTHME. Enfin, en dernière position, elle inscrivit : S'OCCUPER DE LA MAUVAISE ÉPOUSE.

— Mma Makutsi, dit-elle, je crois que je vais vous emmener au garage. Nous ne pouvons pas abandonner le pauvre Mr. J.L.B. Matekoni, même s'il a un comportement bizarre. Vous allez entrer dès maintenant dans vos fonctions de directrice par intérim. Je vous conduis en fourgonnette.

Mma Makutsi hocha la tête.

— Je suis prête, Mma, dit-elle. Je suis prête à prendre les commandes.

CHAPITRE VI

Changement de direction

Le Tlokweng Road Speedy Motors se trouvait à courte distance de la route et à moins de un kilomètre des deux grands magasins construits en bordure du quartier qu'on appelait le Village. Il appartenait à un groupe de trois immeubles comportant un supermarché où l'on trouvait à peu près tout, des vêtements bon marché jusqu'à la paraffine, en passant par la mélasse raffinée, et une entreprise de construction qui vendait du bois et de la tôle ondulée pour les toitures. Le garage occupait l'extrémité est du bloc. Plusieurs robiniers l'entouraient et une vieille pompe à essence trônait à l'avant. La compagnie pétrolière avait promis à Mr. J.L.B. Matekoni de remplacer celle-ci par une neuve, mais comme elle était peu désireuse de le voir faire concurrence aux stations-service plus modernes de la ville, cet engagement était tombé dans l'oubli. On continuait tout de même à livrer de l'essence, conformément aux exigences du contrat d'origine, mais sans enthousiasme, et le camion-citerne avait tendance à négliger certaines tournées, si bien que la pompe était souvent vide.

Cela n'avait pas grande importance, toutefois. Les clients venaient chez Tlokweng Road Speedy Motors parce qu'ils voulaient confier leurs réparations à

Mr. J.L.B. Matekoni, et non pour faire le plein. Ces gens-là connaissaient la différence entre un bon mécanicien et un simple réparateur. Un bon mécanicien comprenait les voitures. Il pouvait diagnostiquer un problème rien qu'en écoutant tourner un moteur, un peu comme il suffit à un médecin expérimenté de regarder un patient pour savoir ce qui ne va pas.

— Les moteurs nous parlent, expliquait-il à ses apprentis. Écoutez-les ! Ils nous disent où ils ont mal, il suffit de tendre l'oreille.

Bien sûr, les apprentis ne comprenaient pas. Ils avaient une vision diamétralement opposée des machines et se révélaient incapables de concevoir qu'un moteur pût avoir des états d'âme et des émotions, se sentir tendu, surmené, ou soulagé et bien dans sa peau. Prendre des jeunes en apprentissage représentait un acte de charité de la part de Mr. J.L.B. Matekoni, qui tenait à ce qu'il y eût au Botswana suffisamment de mécaniciens bien formés pour prendre la relève de sa génération, le moment de la retraite venu.

— Tant que nous n'aurons pas de bons mécaniciens, l'Afrique n'ira nulle part, déclara-t-il un jour à Mma Ramotswe. Les mécaniciens constituent la toute première pierre de l'édifice. Ensuite, les autres viennent s'ajouter. Les médecins. Les infirmières. Les enseignants. Mais à la base de tout cet ensemble, il y a les mécaniciens. C'est pourquoi il est si important d'inculquer le métier aux jeunes.

En arrivant au Tlokweng Road Speedy Motors, Mma Ramotswe et Mma Makutsi virent l'un des apprentis au volant d'une voiture que l'autre poussait lentement à l'intérieur de l'atelier. Lorsque les deux femmes approchèrent, celui qui poussait se redressa pour les regarder, abandonnant sa tâche, et la voiture se mit à reculer.

Mma Ramotswe gara la petite fourgonnette blanche sous un arbre et se dirigea vers l'entrée du bureau, escortée de Mma Makutsi.

— Bonjour, Bomma, lança le plus grand des deux apprentis. La suspension de votre fourgonnette est en mauvais état. Vous êtes trop lourde. Regardez, elle est complètement penchée d'un côté. Nous pouvons vous réparer ça, si vous voulez.

— Ma fourgonnette est en parfait état, rétorqua Mma Ramotswe. C'est Mr. J.L.B. Matekoni en personne qui s'en occupe. Il ne m'a jamais rien dit sur la suspension.

— Peut-être, mais ça fait un bon bout de temps qu'il ne dit rien, fit remarquer l'apprenti. Il n'est plus très bavard…

Mma Makutsi s'arrêta et regarda le garçon.

— Je suis Mma Makutsi, dit-elle en le fixant à travers ses grosses lunettes. Je suis la directrice par intérim. Si vous souhaitez parler de suspensions, vous pouvez venir me voir dans le bureau. En attendant, qu'êtes-vous en train de faire ? À qui appartient cette voiture et quel travail avez-vous l'intention d'effectuer dessus ?

L'apprenti jeta un coup d'œil par-dessus son épaule pour obtenir le soutien de son camarade.

— Elle est à cette femme qui habite derrière le commissariat de police, vous savez… Je crois que c'est une sorte de femme facile.

Il se mit à rire, puis poursuivit :

— Elle s'en sert pour aller ramasser des hommes, mais maintenant, voilà que la voiture ne démarre plus. Alors elle ne peut plus ramasser de clients. Ha ! ha !

Mma Makutsi eut un frémissement de colère.

— Elle ne démarre plus, c'est ça ?

— Oui, fit l'apprenti. Elle ne démarre plus. Alors Charlie et moi, on a été la chercher avec la dépanneuse et on l'a remorquée jusqu'ici. Maintenant, on la pousse dans le garage pour regarder le moteur. Cela va être un boulot rentable, j'ai l'impression. Il va peut-être falloir changer le starter. Vous savez... C'est des trucs qui coûtent cher, mais comme les hommes donnent plein d'argent à cette femme, elle pourra payer sans problème. Ha ! ha !

Mma Makutsi abaissa ses lunettes sur le bout de son nez et contempla le garçon par-dessus la monture.

— Et la batterie ? interrogea-t-elle. C'est peut-être la batterie, tout simplement. Avez-vous essayé de la recharger ?

L'apprenti cessa de sourire.

— Alors ? insista Mma Makutsi. Avez-vous rechargé la batterie ? Avez-vous essayé, au moins ?

Le garçon secoua la tête.

— C'est une vieille voiture. C'est à coup sûr autre chose qui ne va pas.

— Franchement ! s'exclama Mma Makutsi. Allez, ouvrez-moi ce capot ! Vous avez une batterie en bon état à l'atelier, non ? Alors branchez-la et essayez.

L'apprenti regarda son ami, qui haussa les épaules.

— Allez ! pressa Mma Makutsi. J'ai beaucoup à faire au bureau, moi ! Alors dépêchez-vous, s'il vous plaît.

Mma Ramotswe ne dit rien. Elle observa Mma Makutsi, tandis que les apprentis poussaient la voiture sur les quelques mètres restants, puis reliaient le moteur à la batterie neuve. Ensuite, avec nonchalance, l'un des garçons s'installa au volant et tourna la clé de contact. Le moteur démarra aussitôt.

— Chargez-la, ordonna Mma Makutsi. Puis vous changerez l'huile et vous irez rapporter la voiture à sa propriétaire. Dites-lui que vous êtes désolés si la réparation a pris plus de temps que nécessaire, mais que nous lui offrons une vidange en dédommagement.

Elle se tourna vers Mma Ramotswe, qui souriait à ses côtés.

— Il est important de fidéliser la clientèle, expliqua-t-elle. Si vous faites une fleur au client, il continuera à venir chez vous toute sa vie. C'est capital dans le commerce.

— Très juste, approuva Mma Ramotswe.

Si elle avait douté jusque-là de l'aptitude de Mma Makutsi à tenir le garage, elle se sentait à présent rassurée.

— Vous vous y connaissez, en voitures ? lui demanda-t-elle un peu plus tard, tandis qu'elles entamaient ensemble le tri des papiers sur le bureau encombré de Mr. J.L.B. Matekoni.

— Pas vraiment, répondit Mma Makutsi. Mais je suis très calée en machines à écrire. Et toutes les machines se ressemblent, non ?

Leur première tâche fut de recenser les véhicules présents à l'atelier et ceux prévus pour les prochains jours. Charlie, le plus âgé des apprentis, fut convoqué au bureau et on lui demanda de fournir la liste du travail en souffrance. Il en ressortit qu'il y avait huit voitures garées à l'arrière du bâtiment, en attente de pièces détachées. Certaines de ces dernières avaient déjà été commandées, d'autres non. Lorsqu'elle en eut fait établir une liste précise, Mma Makutsi téléphona à chaque fournisseur et demanda où en était la commande.

— Mr. J.L.B. Matekoni est très fâché, affirmat-elle d'un ton tranchant. Et nous n'aurons pas de quoi vous régler les anciennes factures si vous nous empêchez de travailler. Je suis persuadée que vous pouvez comprendre cela.

Des promesses furent faites et, dans leur grande majorité, tenues. Les pièces détachées commencèrent à arriver au bout de quelques heures, livrées par les fournisseurs en personne. Elles furent dûment étiquetées – chose que l'on n'avait jamais faite auparavant, affirmèrent les apprentis – et placées sur un banc, par ordre d'urgence. En même temps, les apprentis, dont Mma Makutsi supervisait le travail en permanence, s'activèrent à les installer, puis à tester les moteurs, remettant au fur et à mesure les véhicules réparés à Mma Makutsi pour vérification. Elle les questionnait sur les réparations effectuées, demandant parfois à inspecter elle-même le résultat, puis, comme elle ne savait pas conduire, elle passait la voiture à Mma Ramotswe, qui se chargeait du contrôle final. Elle téléphonait alors au propriétaire pour l'avertir que la réparation était faite. Il n'y aurait à payer que la moitié de la facture, expliquait-elle, pour compenser le retard de livraison. Cela radoucit tous les clients, à l'exception d'un seul, qui annonça qu'à l'avenir il irait dans un autre garage.

— Dans ce cas, vous ne profiterez pas de notre offre de révision gratuite, répondit tranquillement Mma Makutsi. C'est dommage.

Ces mots provoquèrent le revirement escompté, et à la fin de la journée, le Tlokweng Road Speedy Motors avait rendu six voitures à leurs propriétaires, qui semblaient tous avoir pardonné le retard.

— Ce fut une bonne première journée ! déclara Mma Makutsi, tandis qu'avec Mma Ramotswe elle regardait les apprentis épuisés s'éloigner sur la route. Ces garçons ont travaillé dur et je les ai récompensés en leur offrant un bonus de cinquante pula chacun. Ils sont très contents et, du coup, je suis sûre qu'ils deviendront de meilleurs apprentis. Vous verrez.

Mma Ramotswe hocha la tête, impressionnée.

— Je pense que vous devez avoir raison, répondit-elle. Vous faites une directrice exceptionnelle.

— Merci, fit Mma Makutsi. Bon, il va falloir rentrer, maintenant. Nous aurons beaucoup à faire demain.

Mma Ramotswe reconduisit son assistante jusque chez elle à bord de la petite fourgonnette blanche, sur des routes encombrées de gens qui rentraient du travail. Il y avait des minibus bondés, ployant dangereusement sous leur charge, des bicyclettes portant des passagers sur le porte-bagages et des hommes et des femmes à pied, marchant les bras ballants, sifflant, réfléchissant, espérant. Elle connaissait bien ce trajet, car elle avait déjà raccompagné Mma Makutsi en de multiples occasions et s'était habituée à ces maisons délabrées et aux nuées d'enfants attentifs et curieux qui peuplaient ces quartiers. Elle laissa son assistante à la grille d'entrée et la regarda contourner le bâtiment pour gagner la hutte de parpaing où elle vivait. Il lui sembla apercevoir une silhouette dans l'embrasure de la porte, une ombre peut-être, mais Mma Makutsi se retourna à cet instant et Mma Ramotswe, qui ne pouvait être prise en flagrant délit de curiosité, fut contrainte de démarrer.

CHAPITRE VII

La petite fille aux trois vies

Tout le monde ne pouvait pas s'offrir de domestiques, certes, mais quand on exerçait une profession bien rémunérée et que l'on possédait une maison de la taille de celle de Mma Ramotswe, ne pas embaucher de femme de ménage – voire plusieurs employés de maison – eût été considéré comme une marque d'égoïsme. Mma Ramotswe savait qu'il existait des pays où les gens ne se faisaient pas aider chez eux, même quand ils en avaient les moyens. Elle ne parvenait pas à s'expliquer un tel choix. Si ceux qui pouvaient employer des domestiques ne le faisaient pas, que devenaient les domestiques ?

Au Botswana, toutes les maisons de Zebra Drive – et même toutes celles de plus de trois pièces – avaient généralement une employée à domicile. Il existait des lois fixant les salaires à verser à ces aides ménagères, mais on ne les respectait pas souvent. Certains traitaient mal leur personnel, les payant une misère tout en leur demandant de travailler du matin au soir, et ils formaient, de l'avis de Mma Ramotswe, une grande majorité. C'était l'un des secrets honteux du Botswana – cette exploitation –, un secret que l'on répugnait à évoquer. De même, personne n'aimait parler de la façon dont on avait traité les Masarwa par le passé – comme des esclaves ; lorsque le sujet était abordé, les regards devenaient fuyants et l'on s'empressait de parler d'autre chose. Toutefois, cela avait bel et bien eu lieu et subsistait encore, disait-on, par endroits. Bien sûr, ce n'était pas propre au pays, mais à l'ensemble de l'Afrique. L'esclavage avait représenté un mal immense infligé au continent, mais, de tout temps, il avait existé des esclavagistes africains qui vendaient leur propre peuple, et des légions d'Africains continuaient de travailler pour des salaires de misère, dans des conditions de quasi-esclavage. Il s'agissait de personnes paisibles et faibles ; les employés de maison en faisaient partie.

Mma Ramotswe s'étonnait toujours de voir les gens adopter un comportement aussi dur. Elle s'était un jour rendue chez une amie qui lui avait expliqué, d'un ton tout à fait badin, que sa femme de ménage n'avait que cinq jours de congé par an et que ces congés n'étaient pas rémunérés. L'amie s'était vantée d'avoir récemment réussi à réduire le salaire de son employée parce qu'elle la trouvait paresseuse.

— Mais pourquoi reste-t-elle, si tu la traites de cette façon ? avait interrogé Mma Ramotswe.

Son amie avait éclaté de rire.

— Où irait-elle ? Il y en a des centaines qui attendent, prêtes à prendre sa place, et elle le sait. Elle sait que je pourrais engager quelqu'un d'autre qui ferait le même travail pour la moitié de ce que je lui donne !

Mma Ramotswe n'avait rien dit, mais elle avait en son for intérieur mis fin à son amitié à cet instant. Cela lui avait donné matière à réflexion. Pouvait-on être l'amie d'une personne qui se comportait mal ? Ou alors les personnes mauvaises ne pouvaient-elles avoir que des amis mauvais, puisqu'il fallait nécessairement posséder assez de choses en commun pour entretenir une amitié ? Mma Ramotswe songea aux « méchants » notoires. Il y avait Idi Amin Dada, par exemple, ou Hendrik Verwoerd. Idi Amin Dada, bien sûr, n'était pas sain d'esprit. Peut-être n'était-il pas mauvais de la même façon que Mr. Verwoerd, qui, lui, semblait avoir toute sa tête, mais recelait un cœur de pierre. Mr. Verwoerd avait-il été aimé dans sa vie ? Quelqu'un lui avait-il tenu la main ? Il fallait croire que oui : on avait vu beaucoup de monde à son enterrement. Et ces gens n'avaient-ils pas pleuré, tout comme on pleure aux funérailles d'un homme de bien ? Mr. Verwoerd avait ses proches et sans doute ceux-ci n'étaient-ils pas tous mauvais. Maintenant que les choses avaient changé de l'autre côté de la frontière, en Afrique du Sud, ces gens-là avaient dû continuer à vivre. Peut-être avaient-ils compris tout le mal qu'ils avaient fait. Même dans le cas contraire, on leur avait en général pardonné. En Afrique, semblait-il, il n'y avait pas de place pour la haine dans les cœurs. Il existait des idiots, comme partout, mais même ceux-ci ne gardaient pas de rancune, et Mr. Mandela l'avait démontré au monde entier. Tout comme Seretse Khama, pensa Mma Ramotswe. Même si nul, en dehors du Botswana, ne semblait en avoir conservé le souvenir, il était l'un des grands hommes de l'Afrique. Et il avait serré la main de son père, Obed Ramotswe, lorsqu'il était venu rendre visite à la population de Mochudi. Elle-même, Precious Ramotswe, encore toute petite, l'avait vu de ses yeux descendre de voiture tandis que la foule se pressait autour de lui ; et dans cette foule, retenant son vieux chapeau cabossé, il y avait son père. Lorsque Seretse Khama avait saisi la main de ce dernier, elle avait senti son cœur se gonfler de fierté. Elle se souvenait de ce moment chaque fois qu'elle regardait l'assiette avec le portrait du grand homme d'État posée sur la cheminée.

L'amie qui traitait mal sa domestique était donc une mauvaise femme. Elle se comportait bien vis-à-vis de sa famille et s'était toujours montrée aimable avec Mma Ramotswe, mais quant à son employée – que Mma Ramotswe avait vue et qui lui avait paru agréable et consciencieuse –, elle ne semblait faire aucun cas de ses sentiments. Mma Ramotswe se dit qu'un tel comportement tenait tout simplement à l'ignorance, à l'incapacité de comprendre les espérances et les aspirations d'autrui. Or, cette compréhension, pensa Mma Ramotswe, représentait la base de toute la morale. Lorsqu'on connaissait les sentiments d'un individu, lorsqu'on pouvait se mettre à sa place, il devenait évidemment impossible de lui infliger de la souffrance. Infliger de la souffrance dans de telles circonstances revenait à se faire violence à soi-même.

Mma Ramotswe savait que les questions de morale suscitaient de nombreux débats, mais pour elle, tout était très simple. D'abord, il y avait la vieille morale botswanaise, qui était juste. Lorsqu'on s'y tenait, on était sûr de bien agir et l'on n'avait aucun souci à se faire. Il existait aussi d'autres morales, évidemment : les Dix Commandements, qu'elle avait appris par cœur au cathéchisme de Mochudi, nombre d'années auparavant. Ils étaient justes eux aussi, de la même façon absolue. Ces règles de moralité étaient semblables au Code pénal du Botswana : elles devaient être observées à la lettre. Il n'était pas bon de se considérer l'égal de la Haute Cour du Botswana et de décider quelles parties de la loi on allait respecter et quelles autres on mettrait de côté. Les codes moraux n'étaient pas conçus pour autoriser un tri, ni pour être remis en cause. On ne pouvait pas décider de se soumettre à telle interdiction, mais de contourner telle autre. *Je ne volerai point – ça, certainement pas – mais l'adultère est une autre histoire : il est sans doute mauvais pour certaines personnes, mais pas pour moi.*

En règle générale, pensait Mma Ramotswe, la morale consistait à se conduire d'une façon qui était bonne parce qu'elle avait été identifiée comme telle par un long processus d'acceptation et d'observance. On ne pouvait pas se créer une morale personnelle, pour la simple raison que l'expérience d'un individu isolé ne se révélerait jamais suffisante pour cela. De quel droit pourrait-on dire que l'on sait mieux que ses ancêtres où réside le bien ? La morale valait pour tous, et cela signifiait que les points de vue de plus d'une personne étaient nécessaires pour la créer. Voilà ce qui rendait la morale moderne, celle qui valorisait l'individualisme et l'élaboration d'une position personnelle, si faible. Si l'on accordait aux gens la possibilité de mettre sur pied une morale subjective, ils en établiraient la version la plus facile, qui leur permettrait d'agir à leur guise le plus souvent possible. Cela, de l'avis de Mma Ramotswe, n'était que pur égoïsme, quel que fût le nom qu'on lui donnait.

Mma Ramotswe avait un jour écouté sur une station de radio internationale une émission qui lui avait coupé le souffle. On y parlait de philosophes qui se qualifiaient d'*existentialistes* et qui, si Mma Ramotswe avait bon souvenir, résidaient en France. Ces Français affirmaient que l'on devait vivre d'une façon qui nous donnait l'impression d'être vrai, et qu'il suffisait de se sentir vrai pour savoir que l'on agissait bien. Mma Ramotswe avait écouté avec stupéfaction. Il n'était pas nécessaire d'aller jusqu'en France pour trouver des existentialistes, songea-t-elle. Il y en avait beaucoup ici même, au Botswana. Note Mokoti, par exemple. Elle avait été mariée à un existentialiste sans le savoir. Note, cet égoïste qui ne s'était jamais donné de peine pour quiconque – pas même pour sa femme –, aurait approuvé les existentialistes, tout comme ces derniers l'auraient approuvé, lui. Il était à l'évidence très existentialiste de traîner chaque soir dans les bars, pendant que votre femme enceinte restait seule à la maison, et plus existentialiste encore de sortir avec des filles – des jeunes filles existentia- listes – au hasard des rencontres. Être existentialiste, c'était la belle vie, quoique pas si belle pour les autres personnes, non existentialistes, qui vous entouraient.

Mma Ramotswe ne traitait pas Rose, sa femme de ménage, de manière existentialiste. Rose était venue travailler à son service le jour même de son instal- lation à Zebra Drive. Il existait, découvrit-elle par la suite, un réseau de chômeurs qui se chargeait de recueillir des informations sur les nouveaux emména- gements et sur les personnes susceptibles de recru- ter du personnel. Ainsi Rose s'était-elle présentée à sa porte dans l'heure qui avait suivi l'arrivée de Mma Ramotswe.

— Vous allez avoir besoin d'une femme de ménage, Mma, avait-elle déclaré. Et je sais très bien faire le ménage. Je travaillerai dur et je ne vous poserai aucun problème pour le restant de vos jours. Je peux commencer tout de suite.

Mma Ramotswe se fit aussitôt un jugement. Elle voyait devant elle une femme d'allure respectable, soignée, d'une trentaine d'années. Mais elle voyait aussi une mère, dont l'un des enfants attendait à la grille, les yeux fixés sur elle. Et elle se demandait ce que cette mère avait dit à son petit. *Nous mange- rons ce soir si cette femme me prend à son service. Il*

faut espérer. Attends ici, reste sur la pointe des pieds.
Reste sur la pointe des pieds. C'était ce que l'on disait,
en setswana, quand on espérait voir une chose arriver.
L'équivalent de l'expression « Croiser les doigts »,
qu'employaient les Blancs.

En jetant un coup d'œil à la grille, Mma Ramotswe
s'aperçut que l'enfant se tenait effectivement sur la
pointe des pieds. Elle comprit alors qu'elle ne pouvait
donner qu'une seule réponse. Elle regarda la femme.

— Oui, répondit-elle. J'ai besoin d'une employée
de maison et c'est à vous que je vais donner la place,
Mma.

La femme battit des mains en témoignage de grati-
tude, puis adressa un signe à l'enfant. J'ai de la
chance, songea Mma Ramotswe. J'ai de la chance de
pouvoir offrir autant de joie en prononçant simplement quelques mots.

Rose emménagea sur-le-champ et prouva très vite
sa valeur. Les précédents propriétaires avaient laissé
la maison de Zebra Drive dans un état lamentable et
il y avait de la poussière dans tous les recoins. Durant
trois jours, elle balaya et astiqua. À la fin, la maison
dégageait une bonne odeur d'encaustique et la moindre
surface reluisait de propreté. En outre, elle se révéla
être une cuisinière hors pair et une experte en repas-
sage. Mma Ramotswe soignait ses tenues, mais elle
avait toujours eu du mal à trouver l'énergie de repasser
ses chemisiers aussi bien qu'elle l'eût souhaité. Rose
faisait cela avec une passion qui se refléta bientôt sur
les ourlets amidonnés et sur le moindre pan de tissu,
d'où les faux plis étaient bannis.

Rose s'installa dans le quartier des domestiques,
au fond de la cour. Il s'agissait d'une hutte de deux
pièces, avec la douche et les toilettes d'un côté, et
un porche abrité sous lequel on pouvait faire du feu

pour la cuisine. Elle dormait dans l'une des pièces et deux de ses enfants occupaient la seconde. Ceux-ci avaient d'autres frères et sœurs, plus âgés, dont l'un était charpentier et rapportait un bon salaire. Malgré cet apport supplémentaire, cependant, le coût de la vie était tel qu'il ne restait pas grand-chose à la fin du mois, d'autant que le plus jeune des fils faisait de l'asthme et avait besoin de coûteux inhalateurs pour mieux respirer.

Lorsqu'elle rentra chez elle après avoir déposé Mma Makutsi, Mma Ramotswe trouva Rose dans la cuisine en train de récurer une marmite noircie. Comme le voulait l'usage, elle s'enquit du déroulement de la journée et l'employée lui répondit que tout s'était bien passé.

— J'ai aidé Motholeli à prendre son bain, raconta Rose. Maintenant, elle est là-bas, en train de lire une histoire à son petit frère. Lui, il a couru toute la journée et il est très, très fatigué. Il s'endormira en deux temps, trois mouvements. Je crois qu'il n'y a que la perspective du dîner qui le tienne encore éveillé.

Mma Ramotswe la remercia et sourit. Un mois s'était écoulé depuis l'arrivée des enfants de l'orphelinat, sous l'impulsion de Mr. J.L.B. Matekoni, et elle ne s'était pas encore habituée à leur présence. C'était lui qui avait conclu cet engagement – sans même la consulter avant d'endosser le rôle de père adoptif –, mais elle avait accepté la situation et pris les enfants en affection. Motholeli, qui se déplaçait en fauteuil roulant, avait prouvé son efficacité dans les tâches ménagères et manifestait par ailleurs un vif intérêt pour les réparations automobiles – à la grande joie de Mr. J.L.B. Matekoni. Son frère, qui était beaucoup plus jeune, se révélait plus difficile à cerner. Il se montrait actif et répondait poliment lorsqu'on lui parlait, mais il semblait préférer la solitude ou la compagnie de sa sœur aux contacts avec les autres enfants. Motholeli s'était déjà fait des amis, mais le garçon demeurait trop timide pour l'imiter.

Elle avait commencé à fréquenter l'école secondaire de Gaborone, qui n'était pas trop éloignée, et elle s'y plaisait. Chaque matin, à tour de rôle, l'une des élèves de sa classe venait à la porte de la maison et se chargeait de pousser le fauteuil roulant jusqu'à l'établissement.

Mma Ramotswe en avait été impressionnée.

— Est-ce vos professeurs qui vous ont dit de faire cela ? avait-elle demandé à l'une des fillettes.

— Non, Mma. Mais nous sommes les amies de votre fille. C'est pour cela que nous le faisons.

— Vous êtes de braves petites filles, avait répondu Mma Ramotswe. Quand vous serez grandes, vous serez de braves femmes. C'est très bien.

On avait trouvé une place à l'école primaire du quartier pour le garçon, mais Mma Ramotswe espérait que Mr. J.L.B. Matekoni lui paierait les frais de scolarité à Thornhill. Cet établissement coûtait cher et, à présent, elle se demandait si un tel luxe serait jamais possible. Cela faisait partie des nombreuses choses à régler. Il y avait le garage, les apprentis, la maison près de l'ancien aéroport militaire du Botswana, et les enfants. Il y avait aussi le mariage – le moment venu –, mais Mma Ramotswe n'osait même pas y songer pour l'instant.

Elle passa au salon et vit le garçon installé près du fauteuil roulant de sa sœur, attentif.

— Alors, lança Mma Ramotswe, tu lis une histoire à ton petit frère ? C'est une belle histoire ?

Motholeli se retourna et lui sourit.

— Ce n'est pas une histoire, Mma, répondit-elle. Ou plutôt, ce n'est pas une vraie histoire comme dans les livres. C'est quelque chose que j'ai écrit à l'école, et je suis en train de le lui lire.

Se joignant aux enfants, Mma Ramotswe prit place sur l'accoudoir du canapé.

— Et si tu recommençais depuis le début ? suggéra-t-elle. J'aimerais bien entendre ton histoire.

Je m'appelle Motholeli et j'ai treize ans, presque quatorze. J'ai un frère, qui a sept ans. Mon père et ma mère sont partis. Cela me rend très triste, mais je suis contente de ne pas être partie moi aussi, et d'avoir mon frère avec moi.

Je suis quelqu'un qui a eu trois vies. La première, c'était quand je vivais avec ma mère et mes tantes et oncles, dans le Makgadikgadi, près de Nata. Cela se passait il y a longtemps, j'étais toute petite. C'étaient des gens du bush et ils allaient de lieu en lieu. Ils savaient trouver de la nourriture dans le bush en creusant pour dégager des racines. C'étaient des gens très intelligents, mais personne ne les aimait.

Ma mère m'a donné un bracelet en cuir d'autruche, avec des morceaux de coquille d'œuf d'autruche incrustés dedans. Je l'ai toujours. C'est la seule chose qu'il me reste de ma mère, maintenant qu'elle n'est plus là.

Après sa mort, j'ai sauvé mon petit frère, qui avait été enterré dans le sable avec elle. On l'avait mis juste sous le sable, et quand j'ai dégagé son visage, j'ai vu qu'il respirait encore. Je me souviens que je l'ai pris et que j'ai couru à travers le bush jusqu'à ce que je trouve une route. Un homme est arrivé dans un camion et, quand il m'a vue, il s'est arrêté et m'a emmenée à Francistown. Je ne me rappelle pas ce qui s'est passé là-bas, mais je sais qu'on m'a donnée à une dame qui m'a dit que je pourrais habiter dans la cour de sa maison. Ils avaient une petite remise où il faisait très chaud quand il y avait du soleil, mais un peu froid la nuit. Je dormais là avec mon petit frère.

Je le nourrissais avec ce que me donnaient les gens de la maison. Je faisais des choses pour leur rendre service, ils étaient très gentils. Je lavais leur linge et je l'étendais sur la corde. Je nettoyais aussi leurs casseroles, parce qu'ils n'avaient pas de domestique. Il y avait un chien qui vivait aussi dans la cour. Un jour, il m'a mordue très fort au pied. Le mari de la dame s'est mis en colère contre le chien après cela et il l'a battu avec un bâton. Le chien est mort maintenant, après tous ces coups qu'il a reçus à cause de sa méchanceté.

Je suis tombée très malade et la dame m'a emmenée à l'hôpital. On m'a planté des aiguilles dans la peau et on a pris une partie de mon sang. Mais on n'a rien pu faire pour me soigner et, au bout d'un moment, je ne pouvais plus marcher du tout. On m'a donné des béquilles, mais je n'arrivais pas à m'en servir. Alors, on m'a trouvé un fauteuil roulant, et, comme ça, j'ai pu retourner à la maison. Mais la dame m'a expliqué qu'elle ne pouvait pas garder une enfant en fauteuil roulant dans sa cour, parce que cela ferait mauvaise impression et que les gens diraient : *Comment pouvez-vous laisser une petite fille en fauteuil roulant dans votre cour ? Vous n'avez pas de cœur.*

Ensuite, un homme est venu et il a dit qu'il cherchait des orphelins à placer dans son orphelinat. Il y avait une dame du gouvernement avec lui et elle m'a expliqué que j'avais beaucoup de chance d'avoir une place dans ce bel orphelinat, que je pourrais emmener mon frère avec moi et que nous serions très heureux là-bas. Mais je ne devrais jamais oublier qu'il faut aimer

Jésus, a dit cette femme. J'ai répondu que j'étais prête à aimer Jésus et que je dirais à mon petit frère de l'aimer aussi.

C'est la fin de ma première vie. La deuxième a commencé le jour où je suis arrivée à la ferme des orphelins. Nous étions venus en camion de Francistown ; j'étais très mal installée à l'arrière, et j'avais très chaud. Je n'avais pas pu sortir de tout le voyage, parce que le chauffeur du camion ne savait pas comment s'y prendre avec une fille en fauteuil roulant. Alors quand je suis arrivée à la ferme des orphelins, ma robe était mouillée de sueur et j'avais honte, surtout que les autres enfants étaient venus autour du camion pour nous regarder. L'une des dames leur a dit d'aller jouer et d'arrêter de nous regarder comme ça, mais ils n'ont fait que s'éloigner un peu et ils ont continué à m'observer de derrière les arbres.

Tous les orphelins habitaient dans des maisons. Chaque maison contenait à peu près dix orphelins et une mère qui s'occupait d'eux. La mienne était très gentille. Elle m'a donné de nouveaux vêtements et un placard pour ranger mes affaires. C'était la première fois que j'avais un placard et j'étais très fière. On m'a aussi donné de très belles barrettes à mettre dans mes cheveux. Je n'avais jamais rien eu d'aussi beau et je les gardais sous mon oreiller pour qu'elles soient en sécurité. Parfois, je me réveillais la nuit et je me disais que j'avais beaucoup de chance. Mais il m'arrivait aussi de pleurer, parce que je pensais à ma première vie et à mes oncles et mes tantes, et je me demandais où ils étaient maintenant. De mon lit, je voyais les étoiles à travers une fente des rideaux et je me disais : s'ils regardaient le ciel, ils verraient les mêmes étoiles, et nous serions en train de les regarder en même temps.

Mais je me demandais s'ils se souvenaient encore de moi, parce que j'étais toute petite à l'époque et que je m'étais enfuie.

J'étais très heureuse à la ferme des orphelins. Je travaillais dur et Mma Potokwane, la directrice, me disait qu'un jour, si j'avais de la chance, je trouverais des gens qui deviendraient nos nouveaux parents. Je ne croyais pas que ce serait possible, car personne ne voudrait d'une fille en fauteuil roulant, alors qu'il y avait beaucoup d'orphelines de premier choix qui n'avaient aucun problème pour marcher et qui cherchaient elles aussi des parents.

Pourtant, elle avait raison. Je ne pensais pas que ce serait Mr. J.L.B. Matekoni qui nous prendrait chez lui, mais j'ai été très heureuse quand il nous a dit que nous pourrions vivre dans sa maison. C'est ainsi que ma troisième vie a commencé.

On nous a préparé un bon gâteau quand nous avons quitté la ferme des orphelins et nous l'avons mangé avec la mère qui s'occupait de notre maison. Elle m'a dit qu'elle était toujours triste quand l'un des orphelins s'en allait, car c'était comme si quelqu'un de sa famille la quittait. Mais elle connaissait très bien Mr. J.L.B. Matekoni et elle m'a expliqué que c'était l'un des meilleurs hommes du Botswana. Je serais très heureuse dans sa maison, a-t-elle dit.

Je suis donc allée chez lui avec mon petit frère et nous avons rencontré son amie, Mma Ramotswe, qui va se marier bientôt avec lui. Elle a dit qu'elle serait notre nouvelle maman et elle nous a emmenés dans sa maison à elle, qui est bien mieux que celle de Mr. J.L.B. Matekoni pour les enfants. J'ai une très bonne chambre et on m'a donné beaucoup de vêtements. Cela me fait plaisir qu'il y ait des gens comme ça au Botswana. J'ai eu beaucoup de chance dans ma vie et je remercie Mma Ramotswe et Mr. J.L.B. Matekoni de tout mon cœur.

Quand je serai grande, j'aimerais être garagiste. J'aiderai Mr. J.L.B. Matekoni dans son atelier, et le soir, je repriserai les vêtements de Mma Ramotswe et je lui préparerai ses repas. Comme ça, quand ils seront très vieux, ils pourront être fiers de moi et dire que j'ai été une bonne fille pour eux, et une bonne citoyenne pour le Botswana.

Voilà l'histoire de ma vie. Je suis une fille ordinaire du Botswana, mais j'ai beaucoup de chance d'avoir eu trois vies. La plupart des gens n'en ont qu'une.

Cette histoire est vraie. Je n'ai rien inventé. Tout est vrai.

Lorsque la fillette se tut, chacun demeura silencieux. Le garçon regarda sa sœur et sourit. J'ai vraiment de la chance d'avoir une sœur aussi intelligente, pensa-t-il. J'espère que Dieu lui rendra ses jambes un jour. Mma Ramotswe contempla la fillette et posa doucement la main sur son épaule. Je prendrai bien soin de cette enfant, pensa-t-elle. Je suis sa mère à présent. Quant à Rose, qui avait tout écouté du couloir, elle baissa les yeux vers ses chaussures et pensa : Quelle drôle de façon de présenter les choses ! Trois vies…

CHAPITRE VIII

Faibles niveaux de sérotonine

La première chose que fit Mma Ramotswe le lendemain matin fut de téléphoner à Mr. J.L.B. Matekoni
chez lui, près de l'ancien aéroport militaire du
Botswana. Ils avaient l'habitude de s'appeler de bonne
heure – du moins, depuis leurs fiançailles – mais la
plupart du temps, c'était lui qui en prenait l'initiative.
Il laissait à Mma Ramotswe le temps de boire son
thé rouge, qu'elle aimait prendre dans le jardin, avant
de composer son numéro et de déclarer avec cérémo-
nie, comme il tenait à le faire : « C'est Mr. J.L.B.
Matekoni à l'appareil, Mma. As-tu bien dormi ? »

La sonnerie retentit pendant plus d'une minute
avant que l'on vienne décrocher.

— Mr. J.L.B. Matekoni ? C'est moi. Comment
vas-tu ? As-tu bien dormi ?

La voix à l'autre bout du fil lui parut confuse. Mma
Ramotswe comprit qu'elle avait réveillé son fiancé.

— Ah, oui. Ah… Je suis réveillé maintenant. C'est
moi.

Mma Ramotswe persista dans le rituel matinal. Il
importait de demander à un interlocuteur s'il avait
bien dormi : une tradition ancienne, mais qu'il fallait
maintenir.

— As-tu bien dormi, Rra ?

La voix de Mr. J.L.B. Matekoni était faible.

— Je ne crois pas, non. J'ai passé la nuit à penser et le sommeil n'est pas venu. Je me suis endormi au moment où tout le monde commence à se réveiller. Maintenant, je suis fatigué.

— C'est dommage, Rra. Je suis désolée de t'avoir réveillé. Il faut que tu retournes te coucher et que tu essaies de dormir un peu. On ne peut pas vivre sans sommeil.

— Je le sais bien ! rétorqua Mr. J.L.B. Matekoni d'un ton irrité. Je n'arrête pas d'essayer de dormir ces derniers temps, mais je n'y arrive pas. On croirait qu'il y a dans ma chambre un animal bizarre qui ne veut pas que je dorme et qui ne cesse de m'asticoter.

— Un animal bizarre ? répéta Mma Ramotswe, perplexe. De quel animal s'agit-il ?

— Mais il n'y a pas d'animal, bien sûr ! Enfin, il n'y a rien quand j'allume la lumière. C'est juste que j'ai l'impression qu'il y a quelque chose là et que cette chose ne veut pas me laisser dormir. Je n'ai rien dit d'autre. En réalité, il n'y a aucun animal.

Mma Ramotswe garda le silence quelques instants, puis interrogea :

— Est-ce que tu te sens bien, Rra ? Peut-être es-tu malade ?

Mr. J.L.B. Matekoni émit un grognement.

— Mais non, je ne suis pas malade, répondit-il. Mon cœur pompe bien le sang dans ma poitrine, mes poumons s'emplissent d'air normalement. C'est juste que j'en ai par-dessus la tête de tous les problèmes. Et puis, j'ai peur qu'on finisse par découvrir la vérité sur moi. Si cela arrive, ce sera la fin de tout.

Mma Ramotswe fronça les sourcils.

— Découvrir la vérité sur toi ? Qui pourrait découvrir quoi ?

Ce fut un chuchotement qui lui répondit :

— Tu sais de quoi je parle. Tu le sais très bien.

— Je ne sais rien du tout, Rra. Tout ce que je sais, c'est que tu dis des choses fort bizarres.

— Ah ! Tu dis cela, Mma, mais tu sais pertinemment de quoi je veux parler. J'ai commis de très mauvaises actions au cours de mon existence et maintenant, les gens vont découvrir la vérité et on va m'arrêter. Je serai puni et tu auras honte de moi, Mma. Je te le dis.

La gorge de Mma Ramotswe se dessécha, tandis qu'elle se débattait pour accepter ce qu'elle venait d'entendre. Était-il possible que Mr. J.L.B. Matekoni se soit rendu coupable de quelque crime terrible qu'il lui aurait caché ? Venait-il d'être démasqué ? Elle ne pouvait le croire : Mr. J.L.B. Matekoni était un homme bon, incapable d'agir contre l'honneur, mais les gens comme lui gardaient parfois un atroce secret enfoui dans leur passé. Tout le monde avait un jour ou l'autre agi d'une façon qui lui faisait honte, c'était du moins ce qu'on disait. Monseigneur Makhulu lui-même n'avait-il pas prononcé un prêche à ce sujet au Club des femmes ? Il avait affirmé qu'il ne connaissait pas un seul individu, fût-ce au sein de l'Église, qui n'ait au moins un acte à se reprocher, même les saints. Saint François, disait-on, avait un jour écrasé délibérément un pigeon du pied – non, c'était sûrement faux – mais peut-être avait-il aussi accompli d'autres actes qu'il avait regrettés par la suite. Quant à elle, il y avait de nombreuses choses qu'elle eût préféré ne pas avoir faites, à commencer par cette fois où, à l'âge de six ans, elle avait répandu de la mélasse sur la plus belle robe d'une de ses camarades de classe parce qu'elle-même ne possédait pas de robe aussi jolie. Elle croisait encore cette personne de temps en temps – celle-ci habitait

Gaborone et était mariée à un employé du centre de tri de diamants. Mma Ramotswe songeait parfois à confesser son crime, même plus de trente ans après, à avouer à cette femme sa mauvaise action, mais elle ne parvenait pas à s'y résoudre. Pourtant, chaque fois que la personne en question la saluait amicalement, Mma Ramotswe se revoyait saisissant la boîte de mélasse pour la déverser sur le tissu rose, alors que la fillette était sortie de classe en y laissant la robe. Elle le lui dirait un jour. Ou peut-être demanderait-elle à Monseigneur Makhulu de lui écrire une lettre de sa part. *L'une de mes ouailles requiert votre pardon, Mma. Elle se sent lourdement accablée par une faute qu'elle a commise à votre encontre il y a bien des années. Vous souvenez-vous de votre robe rose favorite...*

Si Mr. J.L.B. Matekoni s'était rendu coupable d'un acte de malveillance similaire – peut-être avait-il répandu de l'huile de moteur sur quelqu'un –, il ne devait pas s'inquiéter pour autant. Il existait peu de fautes, hormis le meurtre, que l'on ne pût rattraper ensuite. Beaucoup se révélaient moins graves que l'imaginait le transgresseur et pouvaient demeurer enfouies dans le passé en toute sécurité. Et d'ailleurs, même les plus graves pouvaient être pardonnées une fois reconnues. Il fallait rassurer Mr. J.L.B. Matekoni. Il arrivait souvent que l'on amplifie d'infimes problèmes lorsqu'on passait la nuit à y réfléchir.

— Nous avons tous commis des fautes au cours de notre vie, Rra, affirma-t-elle. Toi, moi, Mma Makutsi, et même le pape. Personne ne peut se vanter d'avoir toujours été parfait. L'erreur est inhérente à la nature humaine. Tu ne dois pas t'en faire pour cela. Dis-moi simplement de quoi il s'agit et je suis sûre que je parviendrai à mettre ton esprit en repos.

— Ah non, c'est impossible, Mma. Je ne peux même pas t'en dire un seul mot. Tu serais extrêmement choquée et tu ne voudrais plus jamais me revoir. Vois-tu, je ne te mérite pas. Tu es trop bonne pour moi, Mma.

Mma Ramotswe sentit l'exaspération la gagner.

— Tu dis n'importe quoi. Bien sûr que tu me mérites ! Je ne suis qu'une personne ordinaire. Toi, tu es quelqu'un de très valable. Tu es doué dans ton travail et les gens ne pensent que du bien de toi. Où va le haut commissaire britannique pour l'entretien de sa voiture ? Chez toi. À qui s'adresse la ferme des orphelins quand elle a besoin de faire réparer quelque chose ? À toi. Tu es propriétaire d'un garage de grande qualité et je suis très honorée de me marier bientôt avec toi. Un point, c'est tout.

Ces remarques furent accueillies par un silence. Puis :

— Seulement, tu ne sais pas à quel point je suis mauvais. Je ne t'ai jamais parlé de ces mauvaises actions que j'ai faites.

— Eh bien, parle-m'en. Raconte-les-moi maintenant. Je suis forte.

— Oh non ! Je ne peux pas, Mma. Tu serais trop choquée.

Mma Ramotswe comprit que la conversation ne mènerait nulle part, aussi changea-t-elle de tactique.

— Au fait, en ce qui concerne ton garage... Tu n'y es allé ni hier ni avant-hier. Mma Makutsi s'en occupe à ta place, mais cette situation ne pourra pas durer indéfiniment.

— Je suis bien content qu'elle s'en occupe, répondit Mr. J.L.B. Matekoni d'un ton morne. Je ne me sens pas d'attaque en ce moment. Je pense qu'il vaut mieux que je reste à la maison. Qu'elle se charge de tout. Et remercie-la pour moi, s'il te plaît.

Mma Ramotswe prit une profonde inspiration.

— Tu ne vas pas bien du tout, Mr. J.L.B. Matekoni.
Je crois que je vais te prendre un rendez-vous chez
le médecin. J'ai parlé au Dr Moffat. Il voudrait te
recevoir. Il pense que cela vaudrait mieux.

— Je n'ai rien de cassé, protesta Mr. J.L.B.
Matekoni. Je n'ai pas besoin de voir le Dr Moffat.
Que pourrait-il faire pour moi ? Rien du tout.

La conversation ne l'avait nullement rassurée.
Après avoir raccroché, Mma Ramotswe arpenta
nerveusement sa cuisine plusieurs minutes. Il devenait
évident que le Dr Moffat avait raison : Mr. J.L.B.
Matekoni était malade – dépression, avait dit le
médecin –, mais à présent, c'était surtout cet acte
terrible dont son ami affirmait s'être rendu coupable
qui la tourmentait. Aucun individu au monde ne
faisait un meurtrier moins plausible que Mr. J.L.B.
Matekoni, mais comment réagir s'il ressortait qu'il
l'était bel et bien ? Les sentiments qu'elle éprouvait
pour lui changeraient-ils si elle découvrait qu'il avait
tué, ou se convaincrait-elle qu'il n'était pas vraiment
responsable, qu'il cherchait seulement à se défendre
lorsqu'il avait frappé sa victime à la tête avec la clé
à molette ? Toutes les femmes de criminel faisaient
cela. Elles refusaient l'idée que leur mari puisse être
un meurtrier. Les mères réagissaient de même. Les
mères d'assassin soutenaient toujours que leur fils
n'était pas aussi mauvais qu'on le disait. Évidemment,
pour une mère, l'homme demeurait un petit garçon
toute sa vie, quel que soit son âge, et un petit garçon ne
pouvait être coupable de meurtre.

Bien sûr, Note Mokoti, lui, aurait pu devenir un
assassin. Il était capable de tuer un homme de sang-
froid, parce qu'il n'avait pas d'états d'âme. On l'imagi-

nait sans peine frapper quelqu'un à mort, puis s'éloigner d'un pas nonchalant, comme s'il venait de serrer la main de sa victime. Lorsqu'il avait battu Mma Ramotswe, en de nombreuses occasions, avant de l'abandonner, il n'avait pas manifesté la moindre émotion. Une fois, alors qu'il venait de lui ouvrir l'arcade sourcilière en la frappant avec une violence plus sauvage que d'ordinaire, il s'était arrêté pour observer son œuvre comme un docteur examine une plaie.

— Il va falloir montrer ça à l'hôpital, avait-il laissé tomber d'une voix neutre. C'est assez profond. Tu dois faire plus attention.

Une seule chose la réconfortait dans l'épisode avec Note : c'était que son Papa ait été encore vivant le jour où elle s'était retrouvée seule. Au moins, il avait eu la satisfaction de savoir que sa fille ne vivait plus avec cet homme, après les deux années de souffrance qu'avait provoquées en lui cette union. Lorsqu'elle était venue le trouver pour lui expliquer que Note l'avait abandonnée, il n'avait rien dit de la bêtise qu'elle avait faite en contractant ce mariage, bien qu'il y eût sans doute songé. Il avait seulement affirmé qu'elle devait revenir à la maison, qu'il prendrait toujours soin d'elle et espérait qu'elle aurait une vie meilleure désormais. Il avait montré beaucoup de dignité, comme à son habitude. Et elle avait pleuré, et il lui avait assuré qu'elle se trouvait en sécurité avec lui et qu'elle n'avait plus rien à craindre de son ancien mari.

Note Mokoti et Mr. J.L.B. Matekoni étaient deux êtres très différents. Note avait commis des mauvaises actions, mais pas Mr. J.L.B. Matekoni. Alors pourquoi ce dernier avait-il tant insisté sur cette chose atroce qui lui pesait sur la conscience ? Mma Ramotswe ne se l'expliquait pas. Et comme chaque fois qu'elle ne comprenait pas quelque chose, elle décida de recourir à sa première source d'information et de consolation dans les cas de doute ou de conflit : la Grande Librairie du Botswana.

Elle avala un rapide petit déjeuner et laissa les enfants aux bons soins de Rose. Elle eût aimé leur donner un peu d'attention, mais sa vie était devenue excessivement compliquée. S'occuper de Mr. J.L.B. Matekoni était passé en tête de sa liste de tâches, puis venaient le garage, l'enquête sur les difficultés du frère de l'Homme d'État, et enfin, l'emménagement dans les nouveaux locaux. C'était une liste difficile : chaque élément présentait un critère d'urgence et, cependant, les journées ne comptaient qu'un nombre d'heures limité.

Elle parcourut la courte distance qui la séparait du centre-ville et put garer derrière la Standard Bank sa petite fourgonnette blanche. Puis, saluant au passage un ou deux visages familiers sur la place, elle gagna la Grande Librairie du Botswana. C'était son magasin préféré et elle s'y accordait souvent une bonne heure de flânerie, même pour l'achat le plus simple, ce qui lui laissait le loisir d'arpenter tous les rayons. Ce matin-là toutefois, avec la mission précise et douloureuse qui l'amenait, elle résista fermement à la tentation que représentaient les étagères de magazines et leurs photographies de maisons extraordinaires et de robes sublimes.

— Je voudrais parler au directeur, annonça-t-elle à l'une des employées.

— Vous pouvez me parler à moi, répondit la jeune assistante.

Mma Ramotswe demeura inflexible. La vendeuse était polie, mais très jeune, et mieux valait avoir affaire à un homme qui en savait long sur les livres.

— Non, déclara-t-elle. Je souhaite parler au directeur, Mma. C'est très important.

Le directeur fut appelé et il accueillit poliment Mma Ramotswe.

— Cela me fait plaisir de vous voir, dit-il. Êtes-vous ici en tant que détective, Mma ?

Mma Ramotswe se mit à rire.

— Non, Rra. Mais j'aimerais trouver un livre à même de m'aider dans une affaire très délicate. Puis-je vous parler en toute confidentialité ?

— Bien sûr, Mma. Jamais vous n'entendrez un libraire divulguer les lectures de ses clients si ceux-ci souhaitent les tenir privées. Nous y mettons un point d'honneur.

— Parfait, répondit Mma Ramotswe. Je cherche un livre sur une maladie appelée dépression. En connaissez-vous ?

Le directeur hocha la tête.

— Ne vous inquiétez pas, Mma. Non seulement j'en connais, mais j'en ai un en magasin. Je peux vous le vendre.

Il s'interrompit un instant, puis reprit :

— Je suis désolé pour vous, Mma. La dépression n'est pas une maladie très gaie.

Mma Ramotswe jeta un coup d'œil par-dessus son épaule.

— Ce n'est pas moi, souffla-t-elle. C'est Mr. J.L.B. Matekoni. Je crois qu'il est dépressif.

Le visage du libraire affichait une grande compassion quand il conduisit sa cliente vers une étagère située au fond du magasin. Il saisit un petit ouvrage à couverture rouge.

— Voilà un très bon livre sur cette maladie, déclara-t-il en le lui tendant. Si vous lisez ce qui est écrit derrière, vous verrez que de nombreuses personnes ont trouvé qu'il les avait aidées à y faire face. Je suis désolé pour Mr. J.L.B. Matekoni, vous savez. J'espère que ce livre l'aidera à aller mieux.

— Vous êtes très efficace, Rra, dit Mma Ramotswe. Je vous remercie. Nous avons beaucoup de chance de posséder une aussi bonne librairie dans ce pays. Merci.

Elle paya et regagna la petite fourgonnette blanche tout en feuilletant l'ouvrage. Une phrase retint surtout son attention et elle s'immobilisa pour la lire.

L'une des caractéristiques de la dépression aiguë est le sentiment d'avoir fait quelque chose de grave, par exemple contracté une dette que l'on ne peut honorer, ou même commis un crime. Ce sentiment s'accompagne généralement d'une perte d'estime de soi. Inutile de préciser que la faute imaginaire n'a, dans la plupart des cas, jamais eu lieu, mais tous les raisonnements du monde ne peuvent ébranler la conviction du patient.

Mma Ramotswe relut le passage, tout en sentant son moral revenir au beau fixe. Un ouvrage sur la dépression produisait rarement un tel effet sur le lecteur, mais c'était le cas en cet instant. Bien sûr que Mr. J.L.B. Matekoni n'avait rien fait d'horrible. Il était, elle l'avait toujours su, un homme d'honneur sans faille. À présent, il ne restait plus qu'à l'obliger à consulter un médecin et à prendre son traitement. Elle referma le livre et jeta un coup d'œil au dos de la couverture. *Cette affection qui se traite très bien...* était-il écrit. Ces mots la rassérénèrent encore davantage. Elle savait ce qu'elle avait à faire et sa liste, qui lui était apparue longue et complexe le matin, lui semblait maintenant moins démesurée et moins obsédante.

Elle se rendit tout droit de la Grande Librairie du Botswana au Tlokweng Road Speedy Motors. À son grand soulagement, le garage était ouvert et Mma Makutsi se tenait sur le pas de la porte du bureau, une tasse de thé à la main. Les deux apprentis étaient assis sur leurs tonneaux d'huile, l'un fumant une cigarette, l'autre buvant une canette de soda.

— Ce n'est pas un peu tôt pour une pause ? lança Mma Ramotswe avec un coup d'œil en direction des apprentis.

— Oh, Mma, nous avons tous mérité un peu de repos, répondit Mma Makutsi. Nous sommes là depuis deux heures et demie déjà. Nous sommes arrivés à six heures et nous avons beaucoup travaillé.

— Oui, renchérit l'un des apprentis. Beaucoup. Nous avons fait du très bon travail, Mma. Dites-lui, Mma. Dites-lui ce que vous avez fait.

— Cette patronne par intérim est une mécano de première classe, intervint l'autre. Encore plus forte que le patron, j'ai l'impression.

Mma Makutsi éclata de rire.

— Vous deux, vous avez l'habitude de faire des compliments aux femmes ! Mais cela ne marche pas avec moi. Je suis ici en tant que directrice par intérim, non en tant que femme.

— N'empêche que c'est vrai, Mma, insista le plus âgé des apprentis. Puisqu'elle ne vous le dit pas, moi, je vais vous raconter ce qui s'est passé. Il y avait une voiture qui était là depuis quatre ou cinq jours. Elle appartient à une infirmière en chef de l'hôpital Princess Marina. C'est une femme très forte et je n'aimerais pas avoir à danser avec elle. Ouh là !

— Cette femme n'accepterait jamais de danser avec toi ! coupa Mma Makutsi. Pourquoi irait-elle danser avec un gars crasseux comme toi, alors qu'elle peut danser avec des chirurgiens et des gens comme ça ?

L'apprenti accueillit l'insulte d'un éclat de rire.

— Enfin bref, quand elle a apporté sa voiture, elle a dit qu'elle s'arrêtait de temps en temps au milieu de la circulation et qu'il fallait ensuite attendre quelques instants avant de pouvoir redémarrer. Après ça, elle repartait pour un moment, et puis ça recommençait.

« On a regardé. Je l'ai essayée et elle a démarré. Je l'ai conduite jusqu'à l'ancien aéroport, et même sur Lobatse Road. Rien. Elle ne s'est pas arrêtée une seule fois. Mais comme la femme disait qu'elle s'arrêtait tout le temps, j'ai remplacé les bougies et j'ai réessayé. Cette fois, elle s'est arrêtée juste en arrivant au rond-point, près du golf. Arrêtée tout d'un coup, comme ça. Et puis elle est repartie. Et en plus, il s'est passé un drôle de truc, dont la femme nous avait parlé : les essuie-glaces se sont mis en marche au moment où la voiture s'est arrêtée. Alors que je n'y avais pas touché.

« Alors ce matin, j'ai dit à Mma Makutsi :

« – Regardez ça, Mma. C'est une voiture bizarre. Elle s'arrête, et puis elle repart.

« Mma Makutsi est venue voir. Elle a examiné le moteur et elle a vu que les bougies étaient toutes neuves et qu'il y avait aussi une nouvelle batterie. Alors, elle a ouvert la portière et elle est montée. Et là, elle a fait cette tête-là, regardez : comme ça, avec son nez en l'air. Et elle a dit :

« – Cette voiture sent la souris. Je peux vous dire qu'il y a une odeur de souris là-dedans.

« Elle s'est mise à chercher. Elle a regardé sous les sièges, mais il n'y avait rien. Ensuite, elle a regardé sous le tableau de bord et elle a commencé à crier sur moi et sur mon frère ici présent. Elle a dit :

« – Il y a un nid de souris dans cette voiture. Et elles ont rongé l'isolation des fils qu'il y a là-dessous. Regardez !

« On a regardé les fils, qui sont des fils très importants pour la voiture, ceux qui sont reliés à l'allumage.

Il y en avait deux qui se touchaient, enfin, presque, là où les souris avaient grignoté le caoutchouc. Ce qui voulait dire que quand les fils se touchaient, le moteur pensait que l'allumage était débranché et le jus passait dans les essuie-glaces. C'était exactement ce qui arrivait. Quand les souris ont compris qu'elles étaient découvertes, elles se sont sauvées. Mma Makutsi a pris leur nid et l'a jeté. Ensuite, elle a recouvert les fils avec du ruban adhésif qu'on lui a donné et maintenant, la voiture est réparée. Plus de problème de souris, et tout ça parce que cette femme est une bonne détective !

— C'est une détective de la mécanique, corrigea l'autre apprenti. Elle pourrait rendre un homme très heureux. Mais elle le fatiguerait beaucoup, ah ça oui…

— Allez, taisez-vous maintenant, fit Mma Makutsi en souriant. Il va falloir retourner travailler, vous deux. Je suis la directrice par intérim, moi ! Pas l'une de ces filles que vous avez l'habitude de ramasser dans les bars. Allez, hop, au travail !

Mma Ramotswe se mit à rire.

— Il est clair que vous possédez un vrai talent pour découvrir les choses, Mma. Et peut-être les métiers de détective et de mécanicien ne sont-ils pas si éloignés que cela, après tout !

Elles se rendirent ensemble dans le bureau. Mma Ramotswe remarqua immédiatement l'effet radical qu'avait eu Mma Makutsi sur le chaos. Certes, la table de travail de Mr. J.L.B. Matekoni restait couverte de papiers, mais ceux-ci avaient été triés. Les factures à envoyer se trouvaient réunies d'un côté, celles à régler de l'autre. Les catalogues de fournisseurs étaient empilés sur un classeur et les manuels de mécanique sur une étagère, au-dessus de la table. À une extrémité de la pièce, appuyé contre un mur, elle remarqua un grand tableau blanc étincelant sur lequel Mma Makutsi avait tracé deux colonnes intitulées VOITURES RENTRÉES et VOITURES À RENDRE.

— À l'Institut de secrétariat du Botswana, expliqua Mma Makutsi, on nous enseigne qu'il est très important d'avoir un système. Quand on a un système qui permet de voir où on en est, on n'est jamais perdu.

— C'est vrai, acquiesça Mma Ramotswe. Il est clair que ces professeurs connaissaient les ficelles d'une gestion d'entreprise efficace.

Mma Makutsi eut un sourire ravi.

— Et il y a autre chose, dit-elle. Je pense qu'il serait utile que je vous donne une liste.

— Une liste ?

— Oui, répondit Mma Makutsi en lui tendant un grand classeur rouge. Je vous l'ai rangée là-dedans. Chaque soir, je la mettrai à jour. Vous verrez, il y a trois colonnes. URGENT, NON URGENT et À FAIRE UN JOUR.

Mma Ramotswe soupira. Elle n'avait aucune envie d'hériter d'une nouvelle liste, mais il ne fallait surtout pas décourager Mma Makutsi, qui, à l'évidence, savait gérer le garage.

— Merci, Mma, répondit-elle en ouvrant le classeur. Je vois que vous avez déjà commencé.

— Oui. Mma Potokwane a téléphoné de la ferme des orphelins. Elle voulait parler à Mr. J.L.B. Matekoni, mais je lui ai dit qu'il n'était pas là. Elle a donc répondu qu'elle voulait se mettre en contact avec vous et elle a demandé que vous l'appeliez. Vous verrez, j'ai marqué ça dans la colonne NON URGENT.

— Je vais lui téléphoner, promit Mma Ramotswe. Cela doit concerner les enfants. Je ferais bien de l'appeler dès maintenant, d'ailleurs.

Mma Makutsi retourna à l'atelier, d'où on l'entendit lancer des instructions aux apprentis. Mma Ramotswe saisit le téléphone – qui, remarqua-t-elle, était couvert d'empreintes de doigts graisseuses – et composa le numéro que Mma Makutsi avait inscrit sur sa liste. Tandis que la sonnerie retentissait, elle traça une croix rouge face à l'article solitaire de la liste.

Mma Potokwane décrocha tout de suite.

— C'est très gentil à vous de me rappeler, Mma. J'espère que les enfants vont bien ?

— Ils ont l'air très à l'aise dans leur nouvelle maison.

— Parfait. À présent, Mma, puis-je vous demander une faveur ?

Mma Ramotswe connaissait le mode de fonctionnement de la ferme des orphelins. Celle-ci avait besoin d'assistance, et, bien sûr, chacun était prêt à aider. On ne pouvait rien refuser à Mma Silvia Potokwane.

— Avec plaisir, Mma. Expliquez-moi de quoi il s'agit.

— J'aimerais que vous veniez boire le thé avec moi, répondit Mma Potokwane. Cet après-midi, si cela vous est possible. J'ai quelque chose à vous montrer.

— Ne pouvez-vous pas m'en dire un peu plus long ?

— Non, Mma. C'est difficile à décrire au téléphone. Je préfère que vous voyiez cela par vous-même.

CHAPITRE IX

À la ferme des orphelins

La ferme des orphelins se trouvait à une vingtaine de minutes de la ville. Mma Ramotswe s'y était rendue à maintes reprises, mais pas aussi souvent que Mr. J.L.B. Matekoni, qui allait régulièrement s'occuper des machines et appareils défaillants. Une pompe d'alimentation, en particulier, réclamait son attention quasi permanente, et il y avait aussi le minibus, dont les freins lui donnaient du fil à retordre. Mr. J.L.B. Matekoni ne se montrait jamais avare de son temps et, à la ferme des orphelins comme ailleurs, on pensait beaucoup de bien de lui.

Mma Ramotswe éprouvait une grande affection pour Mma Potokwane, parente éloignée du côté de sa mère. Au Botswana, il n'était pas rare de se découvrir des liens de parenté avec des inconnus, une leçon que les étrangers apprenaient vite lorsque, hasardant une remarque critique à l'encontre d'une personne, ils s'apercevaient qu'ils étaient en train de parler à un cousin de cette personne.

Lorsque Mma Ramotswe arriva, Mma Potokwane discutait avec une assistante sur le pas de sa porte. Elle dirigea la petite fourgonnette blanche sur le parking des visiteurs, vers une place ombragée par un seringa, puis elle invita la nouvelle venue à la suivre dans son bureau.

— Il fait vraiment chaud en ce moment, Mma Ramotswe, dit-elle. Mais j'ai un ventilateur très puissant. Si je le mets au maximum, il est capable d'envoyer les gens par la fenêtre. C'est une arme radicale.

— J'espère que vous ne l'utiliserez pas contre moi, répondit Mma Ramotswe.

L'espace d'un instant, elle s'imagina expédiée dans les airs par un vent violent, sa jupe volant autour d'elle, montant vers le ciel d'où elle voyait les arbres, et les sentiers, et le bétail qui la contemplait, les yeux ronds d'étonnement.

— Bien sûr que non, protesta Mma Potokwane avec un sourire. Vous faites partie des gens que j'aime recevoir ici. Ce sont les individus qui se mêlent de tout qui me déplaisent. Ceux qui veulent m'expliquer comment doit se comporter une directrice d'orphelinat. J'en reçois parfois. En général, ils mettent leur nez partout. Ils croient tout connaître des orphelins, mais ils ne savent rien, en fait. Les personnes les plus savantes dans ce domaine, ce sont ces femmes, là-bas…

Elle pointa la fenêtre du doigt et Mma Ramotswe aperçut deux assistantes maternelles, grosses dames en tablier bleu, qui emmenaient deux petits enfants en promenade le long d'un sentier. Elles tenaient fermement les mains minuscules et encourageaient d'une voix douce les pas encore hésitants.

— Oui, poursuivit Mma Potokwane. Ces femmes-là savent de quoi elles parlent. Elles peuvent s'occuper de n'importe quel enfant. Un enfant triste qui pleure sans arrêt sa mère décédée, un enfant méchant à qui l'on a appris à voler, un enfant rebelle qui ne sait rien du respect dû aux aînés et qui parle grossièrement. Ces femmes-là savent y faire, quel que soit l'enfant.

— Ce sont des femmes de grande valeur, approuva Mma Ramotswe. Les deux orphelins que nous avons pris, Mr. J.L.B. Matekoni et moi-même, disent qu'ils ont été très heureux ici. Hier encore, Motholeli m'a lu une histoire qu'elle a écrite à l'école. Le récit de sa vie. Elle y parle de vous, Mma.

— Cela me fait plaisir qu'elle ait été heureuse chez nous, répondit Mma Potokwane. C'est une brave petite fille.

Elle s'interrompit.

— Mais ce n'est pas pour parler de ces enfants-là que je vous ai demandé de venir, Mma. Je voulais vous faire part d'une chose très insolite qui s'est produite ici. Si insolite que même nos assistantes maternelles ne savent pas comment réagir. C'est pourquoi j'ai pensé à vous. Si j'ai appelé Mr. J.L.B. Matekoni ce matin, c'était pour qu'il me donne votre numéro.

Elle versa à Mma Ramotswe une tasse de thé, puis lui servit une tranche épaisse de cake aux fruits.

— Ce sont les plus grandes qui ont préparé ce gâteau, expliqua-t-elle. Nous apprenons aux enfants à cuisiner.

Mma Ramotswe accepta la pâtisserie et baissa les yeux sur les fruits confits que contenait celle-ci. Il y avait au moins sept cents calories dans l'assiette, songea-t-elle, mais quelle importance ? Une femme comme elle, de constitution traditionnelle, n'avait pas à se soucier de ces détails.

— Vous savez que nous accueillons toutes sortes d'enfants ici, reprit Mma Potokwane. En général, ils nous sont amenés à la mort de leur mère, quand personne ne sait qui est le père. Souvent, la grand-mère ne peut pas s'en charger, soit parce qu'elle est malade, soit parce qu'elle n'en a pas les moyens, et les enfants se retrouvent seuls au monde. Ce sont les travailleurs sociaux qui nous les amènent, ou encore la police. Parfois, les gens les abandonnent tout simplement quelque part et les personnes qui les découvrent prennent contact avec nous.

— Ils ont de la chance de pouvoir venir ici, fit remarquer Mma Ramotswe.

— Oui. Et d'habitude, quoi qu'ils aient vécu au cours de leur existence, nous avons vu des histoires similaires avant eux. Rien ne nous choque. Seulement, de temps à autre, un cas différent se présente à nous, et là, nous ne savons pas quoi faire.

— Et c'est ce qui se passe en ce moment ?

— Oui, répondit Mma Potokwane. Lorsque vous aurez terminé cette grosse part de gâteau, je vous emmènerai voir un garçon qui est arrivé il y a quelques jours et qui n'a rien, même pas un nom. Quand cela se produit, nous trouvons un bon nom botswanais et nous le lui donnons. Mais il s'agit généralement de bébés. À partir du moment où ils sont en âge de parler, les enfants qui arrivent ici nous disent toujours leur nom, ou presque. Ce garçon-là, non. En fait, il ne semble pas avoir appris à parler. Nous avons donc décidé de l'appeler Mataila.

Mma Ramotswe mangea son gâteau et vida sa tasse de thé, puis, accompagnée de Mma Potokwane, elle se dirigea vers l'une des maisonnettes situées à l'extrémité du cercle de bâtiments abritant les enfants. Des haricots poussaient là et la courette, à l'avant de la maison, avait été balayée avec soin. Cette assistante maternelle savait tenir une maison, songea Mma Ramotswe. Et si tel était le cas, comment se pouvait-il qu'elle fût mise en échec par un petit garçon ?

Elles trouvèrent Mma Kerileng, l'assistante maternelle, à la cuisine. Tout en s'essuyant les mains sur son tablier, elle accueillit chaleureusement Mma Ramotswe et convia les deux femmes à prendre place dans le salon. C'était une pièce très gaie, décorée de dessins d'enfants punaisés sur un grand tableau. Dans un angle, un gros coffre débordait de jouets.

Mma Kerileng laissa ses invitées s'installer, avant de s'asseoir à son tour dans l'un des grands fauteuils disposés autour de la table basse.

— J'ai entendu parler de vous, Mma, dit-elle à Mma Ramotswe. J'ai vu votre photographie dans le journal. Et bien sûr, je connais Mr. J.L.B. Matekoni, qui vient toujours ici réparer ces machines qui tombent sans arrêt en panne. Vous avez bien de la chance d'épouser un homme qui sait réparer les choses. La plupart des maris se contentent de casser.

Sensible au compliment, Mma Ramotswe inclina la tête.

— C'est un homme très bon, dit-elle. Il n'est pas très en forme en ce moment, mais j'espère qu'il se remettra bientôt.

— Je l'espère aussi, répondit Mma Kerileng, avant de tourner un regard plein d'expectative vers Mma Potokwane.

— Je voulais que Mma Ramotswe voie Mataila, déclara cette dernière. Elle pourra peut-être nous conseiller. Comment est-il aujourd'hui ?

— Comme hier, répondit Mma Kerileng. Et comme avant-hier. Rien ne change chez ce garçon.

Mma Potokwane soupira.

— C'est bien triste. Est-ce qu'il dort en ce moment ? Pouvez-vous ouvrir la porte ?

— Je pense qu'il est réveillé. Allons voir.

Elle se leva et les escorta dans un couloir reluisant de propreté. Mma Ramotswe jeta un regard approbateur autour d'elle : la maison était impeccable, ce qui prouvait la quantité de travail impressionnant qu'abattait l'assistante maternelle. Dans tout le pays, il existait des femmes qui travaillaient sans relâche sans recevoir la moindre louange. Les hommes politiques se targuaient d'être à l'origine de la construction du Botswana, mais comment osaient-ils ? Comment osaient-ils s'octroyer le mérite de tout le labeur dont se chargeaient Mma Kerileng et ses semblables ?

Elles s'arrêtèrent devant une porte à l'extrémité du couloir et Mma Kerileng sortit une clé de la poche de sa blouse.

— Je ne me souviens plus de la dernière fois que nous avons enfermé un enfant dans sa chambre, soupira-t-elle. En fait, je crois que ce n'est encore jamais arrivé. Nous n'avons jamais eu à faire une chose pareille.

Cette observation parut mettre Mma Potokwane mal à l'aise.

— Nous n'avons pas le choix, répondit-elle. Il s'enfuirait dans le bush.

— Bien sûr, murmura Mma Kerileng. Mais c'est tellement triste…

Elle poussa la porte pour révéler une chambre seulement meublée d'un matelas. Il n'y avait pas de vitre à la fenêtre, que l'on avait condamnée par un large écran de treillis en fer forgé, semblable à ceux utilisés pour dissuader les cambrioleurs. Assis sur le matelas, les jambes étalées devant lui, se tenait un garçon de cinq ou six ans entièrement nu.

L'enfant regarda entrer les trois femmes et, l'espace d'un bref instant, Mma Ramotswe lut sur son visage une expression de peur véritablement animale. Celle-ci fut aussitôt remplacée par un regard vide, absent.

— Mataila ? Mataila, comment vas-tu aujourd'hui ? demanda Mma Potokwane en setswana, d'une voix très lente. Cette dame qui est là s'appelle Mma Ramotswe. Ramotswe. Tu la vois ?

Le garçon avait regardé Mma Potokwane tout le temps qu'elle parlait, mais il baissa les yeux au sol dès qu'elle eut achevé.

— Je ne crois pas qu'il comprenne, reprit Mma Potokwane. Mais nous lui parlons quand même.

— Avez-vous essayé d'autres langues ? s'enquit Mma Ramotswe.

Mma Potokwane hocha la tête.

— Toutes celles auxquelles nous avons pu penser. Nous avons fait venir un professeur du Département des langues africaines de l'université. Il a tout essayé, même les dialectes les plus rares, pour le cas où il serait descendu de Zambie. Nous avons tenté l'herero, le san, même si, d'après son physique, il est évident qu'il n'est pas masarwa. Mais rien. Absolument rien.

Mma Ramotswe fit un pas pour se rapprocher du garçon. Il releva légèrement la tête, mais ce fut sa seule réaction. Elle avança encore.

— Faites attention, avertit Mma Potokwane, il mord. Pas à chaque fois, mais souvent.

Mma Ramotswe s'immobilisa. Mordre représentait un mode de défense assez courant au Botswana et il n'y avait rien de surprenant à trouver un garçon qui morde. Les journaux avaient récemment rapporté un cas d'agression par morsure survenu à Mmegi. Un garçon de café avait mordu un client qui affirmait ne pas avoir eu sa monnaie, et cela avait donné lieu à un procès au tribunal de Lobatse. Le serveur s'était vu condamné à un mois de prison ferme, et il avait aussitôt mordu le policier chargé de le conduire à sa cellule. Un exemple de plus, songea Mma Ramotswe, de l'aveuglement des hommes violents. La seconde morsure avait valu trois mois de prison supplémentaires à l'agresseur.

Mma Ramotswe baissa les yeux vers le matelas.

— Mataila ?

L'enfant ne réagit pas.

— Mataila ?

Elle tendit la main vers lui, prête à battre en retraite si nécessaire.

Le garçon grogna. Il n'y avait pas d'autre mot, pensa-t-elle. C'était un grognement, un son profond et guttural qui semblait venir de la poitrine.

— Vous avez entendu ça ? interrogea Mma Potokwane. N'est-ce pas extraordinaire ? Et si vous vous demandez pourquoi cet enfant est nu, c'est qu'il a déchiré tous les vêtements que nous lui avons donnés. Il les a déchirés avec ses dents et les a jetés. Nous lui avions donné deux shorts, et il a fait la même chose avec les deux.

Sur ces mots, elle s'avança.

— Bon, Mataila, dit-elle. Tu vas te lever et venir dehors avec nous. Mma Kerileng va t'emmener prendre un peu l'air.

Elle se baissa et lui saisit le bras avec douceur. Il tourna la tête un instant et Mma Ramotswe crut qu'il allait mordre, mais il n'en fit rien et se leva humblement pour se laisser conduire au-dehors.

À l'extérieur, Mma Kerileng lui prit la main et l'entraîna vers un bouquet d'arbres qui se dressaient à l'extrémité de la ferme. Le garçon avait une démarche étrange, remarqua Mma Ramotswe, à mi-chemin entre la course et la marche, comme s'il s'apprêtait à bondir à tout instant.

— Voilà notre petit Mataila ! soupira Mma Potokwane, tandis que les deux femmes regardaient le couple s'éloigner. Qu'en pensez-vous ?

Mma Ramotswe fit la moue.

— C'est vraiment étrange. Il a dû arriver quelque chose de terrible à cet enfant.

— Sans doute. C'est d'ailleurs ce que j'ai dit au médecin qui l'a examiné. Il m'a répondu : peut-être que oui, peut-être que non. Il m'a expliqué qu'il existe des enfants comme ça. Ils gardent tout pour eux et n'apprennent jamais à parler.

Au loin, Mma Kerileng avait lâché la main du garçon.

— Nous sommes obligées de le surveiller en permanence, déclara Mma Potokwane. Si nous le laissons, il s'enfuira dans le bush et se cachera. Il a disparu ainsi pendant quatre heures la semaine dernière. On a fini par le retrouver près du bassin d'eaux usées. Il n'a pas l'air de savoir qu'un garçon tout nu en train de courir attire forcément l'attention.

Mma Ramotswe et Mma Potokwane se mirent en marche vers le bureau. Mma Ramotswe se sentait découragée. Elle se demandait comment on pouvait s'y prendre avec un tel enfant. Il était facile de répondre aux besoins d'orphelins attachants, semblables par exemple aux deux petits qui étaient venus vivre à Zebra Drive, mais il existait tant d'enfants différents, des enfants qui avaient été blessés d'une manière ou d'une autre et qui nécessitaient patience et compréhension. Elle pensa à sa vie, avec ses listes et ses obligations, et se demanda comment elle pourrait trouver le temps d'être la mère d'un tel garçon. Non, ce n'était pas possible, Mma Potokwane n'entendait tout de même pas le confier à sa garde et à celle de Mr. J.L.B. Matekoni ? Elle savait que la directrice avait la réputation d'agir avec une détermination qui ne laissait pas de place au refus – ce qui, bien sûr, faisait d'elle l'avocate idéale pour les orphelins –, mais elle avait peine à imaginer que cette forte femme tentât de lui imposer une telle volonté, car quel que fût le point de vue où l'on se plaçait, ce serait une charge écrasante que d'hériter de cet enfant.

— Vous savez, je suis une femme très occupée, hasarda-t-elle au moment où elles approchaient du bureau. Je suis désolée, mais je ne peux pas prendre…

Un groupe d'orphelins les croisa à cet instant et salua poliment la directrice. Ils entouraient un petit chiot sous-alimenté que l'un d'eux tenait dans ses bras. Un orphelin en aide un autre, songea Mma Ramotswe.

— Faites attention avec cet animal, avertit Mma Potokwane. Je ne cesse de vous répéter qu'il ne faut pas ramasser les chiens errants. Quand allez-vous m'écouter…

Elle se tourna vers Mma Ramotswe.

— Voyons, Mma Ramotswe ! J'espère que vous n'avez pas pensé… Bien sûr que je ne vous demande pas d'adopter ce garçon ! Nous ne savons pas nous-mêmes comment nous y prendre avec lui, avec toutes les ressources dont nous disposons !

— Je me faisais du souci, avoua Mma Ramotswe. Je suis toujours prête à aider, mais il y a une limite à mes capacités !

Mma Potokwane éclata de rire et posa une main rassurante sur le bras de son invitée.

— Bien sûr. Vous nous aidez déjà beaucoup en vous occupant de ces deux orphelins. Non, je voulais seulement vous demander conseil. Je sais que vous avez la réputation de retrouver les personnes disparues. Pourriez-vous nous dire – juste nous dire – comment nous devons procéder pour découvrir quelque chose sur ce garçon ? Si nous parvenions, d'une manière ou d'une autre, à savoir ce qui lui est arrivé, ou même seulement d'où il vient, nous réussirions peut-être à communiquer avec lui.

Mma Ramotswe secoua la tête.

— Ce sera trop difficile, répondit-elle. Il faudrait parler aux villageois qui habitent à proximité de l'endroit où on l'a trouvé. Il faudrait poser des centaines de questions, et je pense que, de toute façon, les gens n'auront pas envie de parler. Dans le cas contraire, ils se seraient déjà manifestés.

— Vous avez raison, acquiesça tristement Mma Potokwane. La police a interrogé beaucoup de monde là-bas, près de Maun. Elle a sillonné les villages environnants, mais personne n'avait jamais entendu parler d'un tel enfant. Elle a montré sa photographie, mais en vain. Les gens ne savaient rien de lui.

Mma Ramotswe n'en fut pas surprise. Si quelqu'un avait voulu réclamer l'enfant, il l'aurait fait bien avant. Le silence qui planait indiquait à l'évidence que le petit avait été abandonné délibérément. Et puis, il existait toujours l'hypothèse que la sorcellerie ait joué son rôle dans cette histoire. Si un sorcier local avait décrété que le garçon était possédé, ou qu'il était *tokolosi*, on ne pouvait rien faire pour lui. C'était déjà une chance qu'il fût en vie. De tels enfants subissaient généralement un sort bien plus sombre.

Elles étaient à présent parvenues à la petite fourgonnette blanche. L'arbre avait laissé tomber une fronde sur le toit du véhicule et Mma Ramotswe la saisit. Elles étaient si délicates, les feuilles de cet arbre, ces centaines de feuilles minuscules rattachées à la tige, semblables au tracé compliqué d'une toile d'araignée. Derrière elles s'élevaient des voix d'enfants : une chanson qui rappela à Mma Ramotswe sa propre enfance et qui la fit sourire.

Les vaches rentrent à la maison, un, deux, trois,
Les vaches rentrent à la maison, la grosse, la petite,
  celle avec une seule corne,
Moi, je vis avec les vaches, un, deux, trois,
Oh, maman, s'il te plaît, cherche-moi...

Elle observa le visage de Mma Potokwane, un visage dont chaque ride, chaque expression disait : Je suis directrice d'un orphelinat.

— Je ne savais pas qu'on chantait encore cette chanson, murmura Mma Ramotswe.

Mma Potokwane sourit.

— Je la chante moi-même. On n'oublie pas les chansons de son enfance, hein ?

— Dites-moi, reprit Mma Ramotswe. Que vous a-t-on dit sur ce petit garçon ? Est-ce que les gens qui l'ont trouvé ont raconté quelque chose de particulier ?

Mma Potokwane réfléchit.

— Ils ont expliqué à la police qu'ils l'avaient découvert dans l'obscurité. Il paraît qu'il a été très difficile à maîtriser. Et qu'il dégageait une odeur étrange.

— Quelle odeur ?

Mma Potokwane esquissa un geste d'impuissance.

— L'un des hommes affirmait qu'il sentait le lion. Le policier s'en souvenait parce que ça l'a étonné. Il l'a consigné dans son rapport, qui nous est finalement parvenu quand l'administration tribale nous a envoyé l'enfant.

— Il sentait le lion ? répéta Mma Ramotswe.

— Oui, soupira Mma Potokwane. C'est ridicule, n'est-ce pas ?

Mma Ramotswe demeura un long moment pensive, puis elle monta dans sa petite fourgonnette blanche et remercia Mma Potokwane pour son hospitalité.

— Je vais réfléchir, promit-elle. Peut-être que j'aurai une idée.

Elles se firent un nouveau signe de la main et Mma Ramotswe s'engagea sur la route poussiéreuse pour franchir les grilles de l'orphelinat, au-dessus desquelles s'étalait une pancarte proclamant : *Des enfants vivent ici.*

Elle roula doucement, car il y avait des singes et du bétail sur la route, ainsi que de petits gardiens qui accompagnaient les bêtes. Certains d'entre eux semblaient très jeunes, pas plus de six ou sept ans, l'âge du pauvre garçon silencieux, dans la petite chambre.

Qu'arriverait-il si l'un de ces bergers s'égarait dans le bush, loin du poste de bétail ? se demanda Mma Ramotswe. Mourrait-il ? Ou se pourrait-il qu'il subisse un autre sort ?

CHAPITRE X

Le récit de l'employé

Mma Ramotswe décida que le moment était venu de s'occuper de l'Agence N° 1 des Dames Détectives. Transférer le contenu de l'ancien bureau jusqu'aux nouveaux locaux, à l'arrière du Tlokweng Road Speedy Motors, ne prit guère de temps. Le mobilier ne se composait que d'une armoire, de quelques plateaux métalliques où l'on empilait les papiers avant de les classer, de la vieille théière avec ses trois tasses ébréchées et, bien sûr, de la machine à écrire offerte par Mr. J.L.B. Matekoni, qui réintégrait à présent ses pénates. Tout cela fut chargé tant bien que mal à l'arrière de la petite fourgonnette blanche par les deux apprentis, après un semblant de résistance, vu que ce genre de tâche ne faisait pas partie de leur travail. En réalité, ils étaient prêts à obéir à n'importe quel ordre pour satisfaire Mma Makutsi, à qui il suffisait de siffler pour voir aussitôt surgir dans son bureau l'un des deux garçons, venu s'informer de ses désirs.

Cette dévotion surprenait Mma Ramotswe et elle se demandait d'où provenait l'emprise qu'exerçait Mma Makutsi sur les deux jeunes hommes. Mma Makutsi n'était pas une beauté au sens conventionnel du terme. Elle avait la peau trop sombre pour les goûts modernes, pensait Mma Ramotswe, et les crèmes éclaircissantes qu'elle appliquait avaient fait des dégâts. Et puis, il y avait ses cheveux, qu'elle nattait généralement, mais d'une drôle de façon. Enfin restaient ses lunettes, bien sûr, avec leurs verres si larges qu'ils auraient pu, de l'avis de Mma Ramotswe, servir à deux personnes. Pourtant, voilà que cette femme, que l'on n'aurait jamais eu l'idée de sélectionner pour participer à un concours de beauté, se faisait obéir au doigt et à l'œil par deux jeunes gens réputés difficiles. Cela laissait perplexe.

Il se pouvait, certes, qu'il y eût autre chose que la simple apparence physique derrière cet état de fait. Mma Makutsi n'était pas une jolie fille, mais elle possédait une forte personnalité et les garçons ne semblaient pas s'y tromper. Les reines de beauté étaient souvent dénuées de caractère et les hommes s'en lassaient sans doute, au bout d'un moment. Les redoutables compétitions que l'on organisait – les concours de Miss Love ou Miss Industrie du Bétail – amenaient sous les feux de la rampe les filles les plus insipides. Ces filles insipides se creusaient alors la cervelle pour se prononcer sur toutes sortes de problèmes et – ce que Mma Ramotswe ne parvenait absolument pas à comprendre – on les écoutait souvent.

Elle savait que les deux garçons suivaient de près ce genre de concours, car elle les avait entendus les commenter. À présent, toutefois, leur préoccupation majeure semblait consister à faire bonne impression sur Mma Makutsi et à la flatter. L'un d'eux avait même essayé de l'embrasser et s'était vu repousser avec une indignation amusée.

— Depuis quand un mécanicien embrasse-t-il son patron ? avait lancé Mma Makutsi. Retourne travailler, avant que je te botte les fesses avec mon bâton.

Les apprentis avaient expédié le déménagement en deux temps, trois mouvements, chargeant tout le contenu de l'agence en une demi-heure à peine. Puis, tandis qu'ils restaient à l'arrière pour maintenir le classeur en place, l'Agence N° 1 des Dames Détectives tout entière, pancarte comprise, s'était mise en route vers ses nouveaux locaux. Ce fut un moment très triste, et Mma Ramotswe comme Mma Makutsi étaient au bord des larmes lorsqu'elles refermèrent pour la dernière fois la porte d'entrée.

— Nous ne faisons que déménager, Mma, remarqua Mma Makutsi, soucieuse de réconforter son employeur. Ce n'est pas comme si nous mettions la clé sous la porte.

— Je sais, répondit Mma Ramotswe en contemplant, pour la dernière fois peut-être, la vue sur les toits de la ville et les cimes des robiniers. Mais j'ai été très heureuse ici.

Nous sommes toujours en activité. Oui, mais tout juste. Ces derniers jours, avec cette somme de bouleversements et ces listes sans fin, Mma Ramotswe avait consacré bien peu de temps aux affaires de l'agence. En fait, en y réfléchissant bien, elle n'y avait pas consacré de temps du tout. Hormis l'importante enquête en attente, rien d'autre n'était rentré depuis longtemps, même s'il ne faisait aucun doute que cet état de fait changerait tôt ou tard. À l'Homme d'État, elle pourrait réclamer des honoraires proportionnels au temps passé, mais pour cela, il faudrait obtenir un résultat. Bien sûr, elle enverrait une note même si elle revenait bredouille, mais elle avait toujours répugné à réclamer de l'argent pour les enquêtes infructueuses. Peut-être devrait-elle s'obliger à le faire dans le cas de l'Homme d'État, car il était riche et pouvait payer sans problème. Il devait être très facile, songea-t-elle, de diriger une agence de détectives réservée aux nantis, l'Agence N° 1 des Détectives pour Riches, car on n'éprouverait aucun scrupule à réclamer les honoraires. Toutefois, ce n'était pas le cas et elle doutait qu'une activité de ce type pût la rendre heureuse. Mma Ramotswe aimait venir en aide à tous, quel que fût leur niveau social. Elle en avait déjà été de sa poche sur plus d'une affaire, simplement parce qu'elle ne pouvait refuser de voler au secours d'un individu dans le besoin. Telle est ma vocation, se répétait-elle. Je dois aider tous ceux qui me sollicitent. C'est mon devoir : assister les gens qui rencontrent des problèmes dans leur existence. Non qu'elle pût tout faire : l'Afrique était remplie de gens qui avaient besoin d'aide et il fallait tracer des limites. On ne pouvait pas aider tout le monde, mais on pouvait au moins soutenir ceux qui entraient dans notre vie. Ce principe permettait de s'occuper de la souffrance dont on était témoin. Une souffrance qui devenait aussitôt la nôtre. D'autres personnes, ailleurs, devaient quant à elles s'occuper des souffrances qu'elles rencontraient de leur côté.

Mais que faire, ici et maintenant, avec les problèmes de l'agence ? Mma Ramotswe résolut de remanier sa liste de priorités, afin de placer l'affaire de l'Homme d'État en première position. Cela signifiait qu'il fallait débuter sur-le-champ, et quel meilleur point de départ que le père de l'épouse suspecte ? Il y avait plusieurs raisons à ce choix, la plus importante étant que s'il existait réellement un complot pour supprimer le frère de l'Homme d'État, ce n'était sans doute pas une idée de la femme elle-même, mais de son père. Mma Ramotswe était convaincue que les gens qui commettaient des méfaits très graves passaient très rarement à l'acte de leur propre chef. On trouvait en général un complice dans l'ombre, prêt à tirer un bénéfice du délit, ou sollicité pour apporter un soutien moral au coupable. Dans ce cas, le complice le plus probable était donc le père de l'épouse. Si, comme l'avait laissé entendre l'Homme d'État, ce monsieur avait conscience de l'ascension sociale générée par le mariage, et s'en réjouissait, il devait être ambitieux. Par conséquent, il estimait sans doute nécessaire de se débarrasser du gendre afin de mettre la main sur une part substantielle des richesses familiales par l'intermédiaire de sa fille. Plus Mma Ramotswe y réfléchissait, plus il lui semblait plausible que la tentative d'empoisonnement fût une idée du fonctionnaire.

Elle imaginait sans peine ses pensées, tandis que, assis derrière son petit bureau du ministère, il méditait sur le pouvoir et l'autorité qui l'entouraient et auxquels il n'avait pas accès. Comme il devait être humiliant pour un individu de sa condition de voir passer l'Homme d'État en voiture de fonction, cet Homme d'État qui était, en fait, le beau-frère de sa propre fille ! Comme il devait être difficile de ne pas jouir de cette reconnaissance à laquelle il estimait avoir droit ! Pour cela, toutefois, il eût fallu que plus de gens connaissent les liens qui l'unissaient à cette prestigieuse famille. S'il héritait de l'argent et du bétail – ou sa fille, ce qui revenait au même –, il pourrait abandonner son poste avilissant de petit fonctionnaire et mener l'existence d'un riche propriétaire terrien. Lui qui, pour le moment, ne possédait pas la moindre bête, aurait du bétail à ne plus savoir qu'en faire. Lui qui devait économiser sur tout pour se payer un simple voyage à Francistown chaque année, pourrait manger de la viande tous les jours et boire de la Lion Lager avec ses amis le vendredi soir, et il offrirait des tournées générales à tour de bras. Or, entre ce bonheur et lui se dressait un tout petit cœur qui battait. Il suffisait de réduire ce cœur au silence pour que son existence fût transformée.

L'Homme d'État avait donné le nom de jeune fille de l'épouse à Mma Ramotswe et avait indiqué que le père aimait déjeuner à l'ombre des arbres qui se dressaient devant le ministère. Elle détenait donc toutes les informations nécessaires pour trouver le fonctionnaire : son nom, et son arbre.

— Je vais démarrer cette nouvelle enquête, annonça-t-elle à Mma Makutsi alors qu'elles se trouvaient toutes deux dans leur nouveau bureau. Vous, vous êtes occupée avec le garage. Moi, je vais reprendre mon métier de détective.

— D'accord, répondit Mma Makutsi. Tenir un garage est une activité très prenante. Je pense que je continuerai à être bien occupée.

— Je suis heureuse de constater que les apprentis travaillent dur, déclara Mma Ramotswe. Ils vous mangent dans la main, à ce que je vois.

Mma Makutsi esquissa un sourire de conspiratrice.

— Ils sont un peu bêtes, répondit-elle. Mais nous autres femmes, nous avons l'habitude de traiter avec les hommes bêtes.

— Je vois ça, fit Mma Ramotswe. Vous avez dû avoir beaucoup de petits amis, Mma. Ces garçons ont l'air de vous apprécier.

Mma Makutsi secoua la tête.

— Je n'ai pratiquement pas eu de petits amis. Je ne m'explique pas le comportement de ces garçons vis-à-vis de moi, alors que Gaborone compte tant de jolies filles.

— Vous vous sous-estimez, Mma, affirma Mma Ramotswe. Il est évident que les hommes vous trouvent séduisante.

Mma Makutsi s'illumina.

— Vous croyez ? interrogea-t-elle.

— Oui, répondit Mma Ramotswe. Certaines femmes deviennent plus attirantes en vieillissant. J'ai remarqué cela. Alors que les jolies jeunes filles, les reines de beauté, perdent de leur attrait avec l'âge, les autres en gagnent, au contraire. C'est un phénomène très intéressant.

Mma Makutsi resta pensive. Elle ajusta ses lunettes et Mma Ramotswe surprit un regard furtif en direction du reflet dans la vitre. Elle n'était pas tout à fait convaincue de ce qu'elle venait de dire, mais même si c'était faux, elle serait heureuse que cela pût avoir un effet positif sur son assistante. Mma Makutsi ne perdait rien à être admirée de ces deux garçons sans cervelle, au contraire, tant qu'elle n'avait pas de liaison avec eux ; et, de toute évidence, une telle éventualité restait hautement improbable – du moins, pour le moment.

Elle laissa Mma Makutsi dans le bureau et partit au volant de sa petite fourgonnette blanche. Il était midi et demi. Le trajet prendrait dix minutes, ce qui lui donnerait le temps de trouver une place de stationnement et de marcher jusqu'au ministère pour se mettre en quête du père de l'épouse, Mr. Kgosi Sipoleli, fonctionnaire de l'État et, si ses intuitions se révélaient fondées, meurtrier en puissance.

Elle gara la petite fourgonnette blanche derrière l'église catholique, car la ville était noire de monde et elle n'espérait guère trouver une place plus proche. Il faudrait marcher – pas trop longtemps –, mais cela ne la gênait pas, car elle croiserait ainsi des connaissances et, comme elle disposait de quelques bonnes minutes d'avance, elle pourrait bavarder en chemin.

Elle ne fut pas déçue. À peine avait-elle tourné au coin de la rue qu'elle rencontra Mma Gloria Bopedi, la mère de Chemba Bopedi, une ancienne camarade de classe de Mma Ramotswe à Mochudi. Chemba avait épousé Pilot Matanyani, qui venait d'être nommé directeur d'école à Selibi-Phikwe. Elle avait sept enfants, dont l'aîné était champion de sprint du Botswana en catégorie minimes.

— Comment va votre très rapide petit-fils, Mma ? s'enquit Mma Ramotswe.

La vieille femme sourit. Il ne lui restait que quelques dents, remarqua Mma Ramotswe, et il eût sans doute été judicieux de les faire arracher, afin de poser un dentier complet.

— Ah, pour être rapide, il est rapide, celui-là ! s'exclama Mma Bopedi. Et il en fait, des bêtises... D'ailleurs, s'il a appris à courir si vite, c'est parce qu'il a tout le temps besoin de se sauver ! Voilà pourquoi il est rapide comme ça.

— Eh bien, commenta Mma Ramotswe, il en est ressorti quelque chose de positif. Peut-être le verrons-nous un jour courir pour le Botswana aux Jeux olympiques. Il prouvera au monde que les meilleurs coureurs à pied ne viennent pas tous du Kenya.

Une fois de plus, elle réfléchit au bien-fondé de son affirmation. La vérité, dans ce domaine, c'était que les meilleurs coureurs provenaient bel et bien du Kenya, où l'on était grand avec de longues jambes, ce qui rendait particulièrement apte à la course. Les Batswana, au contraire, étaient pour la plupart trapus, ce qui convenait parfaitement pour s'occuper du bétail, mais ne disposait guère à l'athlétisme. En fait, on ne trouvait pas d'excellents coureurs en Afrique méridionale, hormis peut-être chez les Zoulous ou les Swazis, qui produisaient parfois un athlète capable de s'imposer sur la piste, comme le célèbre coureur swazi Richard « Concorde » Mavuso.

Bien sûr, les Boers possédaient d'indéniables talents de sportifs. Ils produisaient ces hommes très forts aux cuisses musclées et au cou épais qui évoquaient les vaches brahmin. Ils jouaient au rugby et semblaient se débrouiller dans ce sport, même s'ils n'étaient pas les meilleurs. Pour sa part, Mma Ramotswe préférait de loin les Motswana, qui n'avaient sans doute pas la carrure de ces rugbymen ni la rapidité des coureurs kenyans, mais qui, en revanche, se révélaient fiables et futés.

— Vous ne trouvez pas, Mma ? demanda-t-elle à Mma Bopedi.

— Je ne trouve pas quoi, Mma ? s'enquit Mma Bopedi.

Mma Ramotswe s'aperçut qu'elle avait intégré son interlocutrice à sa rêverie et elle lui présenta des excuses.

— J'étais en train de penser à nos hommes, expliqua-t-elle.

Mma Bopedi leva un sourcil.

— Oh, c'est vrai, Mma ? Eh bien, pour vous dire la vérité, cela m'arrive aussi d'y penser de temps en temps. Oh, pas très souvent, mais quelquefois. Je sais ce que c'est.

Mma Ramotswe dit au revoir à Mma Bopedi et poursuivit son chemin. Devant la boutique de l'opticien, elle s'arrêta auprès de Mr. Motheti Pilai qui, immobile, regardait le ciel.

— *Dumela, Rra*[1], lança-t-elle, courtoise. Vous allez bien ?

Mr. Pilai abaissa la tête.

— Mma Ramotswe ! s'exclama-t-il. Je vous en prie, laissez-moi vous regarder. On vient de me

1. Bonjour, monsieur. (*N.d.T.*)

donner ces nouvelles lunettes et je vois clair pour la première fois depuis très longtemps. Oh, c'est merveilleux ! J'avais oublié ce que c'était que de bien voir. Et voilà que vous arrivez, Mma. Vous êtes très belle, très grosse.

— Merci, Rra.

Il remonta ses lunettes sur son nez.

— Ma femme n'arrêtait pas de me dire que j'avais besoin de nouvelles lunettes, mais j'avais peur de venir ici. Je n'aime pas du tout cette machine qui vous envoie de la lumière dans les yeux. Je n'aime pas non plus celle qui vous souffle de l'air dans les orbites. Alors je repoussais sans arrêt ce moment. J'étais idiot.

— Ce n'est pas bien de remettre à plus tard les choses que l'on a à faire, commenta Mma Ramotswe en songeant à l'enquête de l'Homme d'État.

— Oh, je sais, répondit Mr. Pilai. Mais le problème, c'est que même quand on sait ce qu'il faut faire, on ne le fait pas toujours.

— Oui, c'est très étonnant. Mais c'est vrai. C'est comme si vous aviez deux personnes en vous. La première dit : Fais ceci. L'autre dit : Fais cela. Mais ces deux voix se trouvent à l'intérieur de la même personne.

Mr. Pilai dévisagea Mma Ramotswe.

— Il fait très chaud aujourd'hui, dit-il.

Elle acquiesça et chacun retourna à ses affaires. Elle ne s'arrêterait plus, résolut-elle. Il était presque une heure et elle voulait se laisser le temps de localiser Mr. Sipoleli, afin d'avoir avec lui la conversation qui marquerait l'ouverture de l'enquête.

Elle repéra l'arbre sans peine. Il s'élevait à une courte distance de l'entrée principale du ministère, majestueux acacia dont le feuillage dispensait un cercle d'ombre sur le sol poussiéreux. Tout près du tronc, plusieurs pierres étaient disposées de façon stratégique, sièges confortables pour quiconque souhaitait se reposer sous l'arbre ou observer l'animation de Gaborone. En cet instant, à une heure moins cinq précises, les pierres étaient inoccupées.

Mma Ramotswe choisit la plus grosse d'entre elles et s'installa. Elle avait apporté un thermos de thé, deux tasses en aluminium et quatre épais sandwiches au corned-beef. Elle prit l'une des tasses et la remplit de thé rouge. Puis elle s'adossa au tronc et attendit. Il était fort agréable de se trouver là, à l'ombre, une tasse de thé à la main, à regarder passer les gens. Personne ne faisait attention à elle, car il n'y avait rien de plus normal que de voir une femme bien bâtie assise sous un arbre.

Peu après une heure dix, alors que Mma Ramotswe avait terminé son thé et se trouvait sur le point de s'assoupir, une silhouette émergea devant le ministère et se dirigea vers l'arbre. Mma Ramotswe s'éveilla en sursaut. Elle était en service à présent et elle devait tout faire pour engager la conversation avec Mr. Sipoleli, pour peu que, comme elle le supposait, le personnage qui approchait fût bien lui.

L'homme portait un pantalon bleu soigneusement repassé, une chemisette blanche et une cravate marron foncé. C'était exactement la tenue que l'on attendait d'un petit fonctionnaire de l'État au grade de secrétaire. Comme pour confirmer ce diagnostic, Mma Ramotswe remarqua plusieurs stylos-billes accrochés à la poche-poitrine de la chemise. C'était manifestement l'uniforme du fonctionnaire débutant, même s'il était porté par un homme qui approchait la cinquantaine. Il s'agissait donc d'un employé qui en était resté au point où il avait commencé et n'irait pas plus loin.

Mma Ramotswe lui sourit.

— Bonjour, Rra, dit-elle. Il fait chaud aujourd'hui, hein ? C'est pour cela que je me suis installée sous cet arbre. Avec cette chaleur, c'est vraiment le meilleur endroit pour se reposer.

Le nouveau venu hocha la tête.

— Oui, fit-il. Je viens toujours m'asseoir ici.

Mma Ramotswe affecta la surprise.

— Ah bon ? J'espère que je ne suis pas sur votre pierre, Rra. Je l'ai vue ici et il n'y avait personne dessus.

Il esquissa un geste d'impatience.

— Ma pierre ? Eh bien oui, en fait, il se trouve que c'est ma pierre. C'est là que je m'assois toujours. Mais évidemment, c'est un lieu public et tout le monde a le droit de s'y mettre...

Mma Ramotswe se leva.

— Ah, mais non, Rra ! Vous devez prendre cette pierre. Je vais m'asseoir sur celle d'à côté.

— Non, Mma, s'empressa-t-il de répondre d'un ton plus amène. Je ne veux pas vous déranger. Je peux très bien m'asseoir sur l'autre.

— Pas du tout. Asseyez-vous ici. C'est votre pierre. Jamais je ne me serais permis de m'y installer si j'avais su qu'une autre personne en avait l'habitude. Je peux m'asseoir à côté, cette pierre a l'air très bien elle aussi. Prenez votre place.

— Non, répliqua-t-il, catégorique. Revenez là où vous étiez, Mma. Moi, je peux m'y asseoir tous les jours. Pas vous. Je vais me mettre sur l'autre.

Mma Ramotswe s'exécuta, non sans manifester de l'embarras, tandis que Mr. Sipoleli prenait place sur la pierre voisine.

— J'étais en train de boire du thé, Rra, reprit-elle. Mais j'en ai suffisamment pour deux. J'aimerais que vous en acceptiez une tasse, puisque je vous ai pris votre pierre.

Mr. Sipoleli sourit.

— Vous êtes bien gentille, Mma. J'adore le thé. J'en bois toute la journée au bureau. Je suis fonctionnaire, voyez-vous.

— Ah bon ? fit Mma Ramotswe. C'est un bon travail. Vous devez être quelqu'un d'important.

Mr. Sipoleli se mit à rire.

— Oh, non ! Je ne suis pas important du tout. Je ne suis qu'un subalterne. Mais cela me convient tout à fait. Il y a des gens diplômés qui sont recrutés au même grade que moi. Pour ma part, je n'ai que mon certificat de Cambridge, c'est tout. Je trouve que je m'en suis bien sorti.

Mma Ramotswe remplit les tasses. Ce qu'elle venait d'entendre la surprenait : elle s'attendait à rencontrer une personne très différente, un petit fonctionnaire gonflé de son importance et soucieux d'acquérir un meilleur statut. Au contraire, elle avait en face d'elle un homme qui semblait satisfait de son sort.

— Ne pourriez-vous pas obtenir une promotion, Rra ? demanda-t-elle. Ce ne serait pas possible de gravir encore un ou deux échelons ?

Mr. Sipoleli réfléchit soigneusement à la question.

— Je pense que oui, répondit-il au bout d'un long moment. Le problème, c'est qu'il me faudrait consacrer beaucoup de temps à lécher les bottes de mes supérieurs. Et puis, je serais obligé de toujours dire ce qu'il faut, et de faire des rapports défavorables sur mes subalternes. Ce n'est pas du tout mon genre. Voyez-vous, je ne suis pas quelqu'un d'ambitieux. Je suis très content d'être là où je suis, vraiment.

La main de Mma Ramotswe vacilla lorsqu'elle passa la tasse à son compagnon. Elle ne s'attendait pas du tout à un tel discours. Soudain, les conseils de Clovis Andersen lui revinrent en mémoire. Ne démarrez jamais une enquête avec des idées préconçues, écrivait celui-ci. N'estimez jamais à l'avance qui est qui et ce qui se passe. Cela peut vous entraîner sur une fausse piste.

Elle décida de lui offrir l'un des sandwiches qu'elle sortit de son sac en plastique. Il accepta de bon cœur , mais choisit le plus petit. Autre indication, pensa-t-elle, de sa modestie. Le Mr. Sipoleli qu'elle avait imaginé aurait pris le plus gros sans la moindre hésitation.

— Avez-vous de la famille à Gaborone, Rra ? interrogea-t-elle d'un ton innocent.

Mr. Sipoleli avala sa bouchée de corned-beef avant de répondre.

— J'ai trois filles, expliqua-t-il. Une qui travaille comme infirmière à l'hôpital Princess Marina, l'autre qui vit à Molepolole. Et puis, il y a mon aînée, qui était très douée à l'école et qui est allée à l'université. Nous sommes très fiers d'elle.

— Elle habite Gaborone ? s'enquit Mma Ramotswe en lui tendant un autre sandwich.

— Non, répondit-il. Elle vit ailleurs. Elle s'est mariée avec un jeune homme qu'elle a rencontré pendant ses études. Ils vivent à la campagne. Assez loin.

— Et alors, ce gendre que vous avez, poursuivit Mma Ramotswe. Qu'en pensez-vous ? Est-il gentil avec elle ?

— Oui, acquiesça Mr. Sipoleli. C'est quelqu'un de bien. Ils sont très heureux et j'espère qu'ils auront beaucoup d'enfants. J'ai hâte de devenir grand-père.

Mma Ramotswe réfléchit, avant de reprendre :

— Ce qui est bien quand on voit ses enfants se marier, c'est de penser qu'ils pourront s'occuper de nous quand on sera vieux.

Mr. Sipoleli sourit.

— Vous devez avoir raison. Mais dans mon cas, ma femme et moi, nous avons d'autres projets. Nous avons envie de retourner à Mahalapye. J'ai un peu de bétail là-bas – oh, pas beaucoup ! – et des terres. Nous y serons heureux. C'est tout ce que nous souhaitons.

Mma Ramotswe garda le silence. Cet homme manifestement bon ne mentait pas, c'était évident. Il avait été absurde de soupçonner qu'il était à l'origine d'un complot visant à supprimer son gendre et elle se sentait honteuse. Pour dissimuler sa confusion, elle lui proposa une autre tasse de thé, qu'il accepta avec reconnaissance. Puis, après quinze minutes de conversation supplémentaires sur les nouvelles du jour, elle se leva, épousseta sa jupe et le remercia d'avoir partagé sa pause-déjeuner avec elle. Elle avait découvert ce qu'elle voulait savoir, du moins au sujet de cet homme. Toutefois, la rencontre avec le père suscitait des doutes sur ses hypothèses concernant la fille. Si celle-ci ressemblait à son père, elle ne pouvait être une empoisonneuse. Cet homme bon et sans prétentions aurait-il pu élever une fille capable de fomenter de tels projets ? Et si la réponse était oui ? Il arrivait que de bons parents mettent au monde de mauvais enfants. Il ne fallait pas être grand clerc pour le constater. Pourtant, cela restait improbable, ce qui signifiait que la deuxième étape de l'enquête nécessiterait un esprit nettement plus ouvert que celui qui avait caractérisé la première.

J'ai appris une leçon, songea Mma Ramotswe en regagnant la petite fourgonnette blanche.

Plongée dans ses pensées, elle ne remarqua pas Mr. Pilai, toujours au même endroit devant la boutique de l'opticien, les yeux fixés sur les branches d'un arbre au-dessus de sa tête.

— J'ai pensé à ce que vous m'avez dit, Mma, lança-t-il lorsqu'elle parvint à sa hauteur. C'est une remarque qui donne à réfléchir.

— Oui, répondit Mma Ramotswe après un instant de surprise. Et j'ai bien peur de ne pas avoir de réponse. J'avoue que je ne sais pas.

Mr. Pilai secoua la tête.

— Dans ce cas, il va falloir y réfléchir encore, conclut-il.

— Oui, approuva Mma Ramotswe. C'est ce que nous allons faire.

CHAPITRE XI

Mma Potokwane rend service

L'Homme d'État avait donné à Mma Ramotswe un numéro de téléphone qu'elle pouvait composer à tout moment et qui lui permettait d'éviter secrétaires et assistantes. Cet après-midi-là, elle l'essaya pour la première fois et la voix de son client retentit aussitôt au bout du fil. Il paraissait heureux de l'entendre et exprima sa satisfaction en apprenant que l'enquête avait débuté.

— J'aimerais aller à la ferme la semaine prochaine, déclara Mma Ramotswe. Avez-vous contacté votre père ?

— Oui, répondit l'Homme d'État. Je l'ai prévenu que vous alliez venir vous reposer chez lui quelque temps. Je lui ai dit que vous m'aviez obtenu de nombreuses voix de femmes aux dernières élections et que j'avais une dette envers vous. Vous serez bien traitée.

On mit les détails au point et Mma Ramotswe se fit indiquer l'itinéraire jusqu'à la ferme, située non loin de la route de Francistown, au nord de Pilane.

— Je suis sûr que vous me rapporterez la preuve des mauvaises intentions de cette femme, conclut l'Homme d'État. Et que nous pourrons ainsi sauver mon pauvre frère.

Mma Ramotswe resta sur ses gardes.

— Nous verrons, rétorqua-t-elle. Je ne peux rien vous garantir. Il faut que je voie.

— Bien sûr, Mma, s'empressa d'approuver l'Homme d'État. Mais j'ai toute confiance en vos capacités. Je sais que vous parviendrez à démontrer la cruauté de cette femme. Espérons qu'il ne sera pas trop tard…

Mma Ramotswe raccrocha et resta immobile, à contempler le mur. Elle avait libéré toute une semaine sur son agenda, ce qui signifiait que les autres tâches de sa liste se trouvaient reportées à un avenir incertain. Au moins, elle n'avait pas de souci à se faire pour le garage, ni même pour l'agence et les éventuels clients qui se présenteraient. Mma Makutsi se chargerait de tout et si elle se trouvait sous une voiture au moment où le téléphone sonnait – ce qui arrivait de plus en plus ces derniers jours –, on avait expliqué aux apprentis comment répondre à sa place.

Mais Mr. J.L.B. Matekoni, dans tout ça ? C'était lui qui posait le problème le plus délicat, auquel elle ne s'était pas encore attaquée. Il fallait agir, et vite. Elle avait achevé le livre sur la dépression et se sentait plus confiante devant ces énigmatiques symptômes. Toutefois, le danger subsistait toujours de voir Mr. J.L.B. Matekoni commettre un acte irraisonné, caractéristique de ce mal qui l'habitait – le livre était très explicite là-dessus –, et elle envisageait avec terreur la perspective de voir son fiancé conduit à de telles extrémités à cause de la perte d'estime de lui-même. Elle devait, d'une manière ou d'une autre, le convaincre de consulter le Dr Moffat, afin de commencer un traitement. Cependant, la fois où elle avait évoqué cette nécessité, il avait refusé net. Si elle essayait à nouveau, elle risquait de se heurter à la même réaction.

Elle se demanda s'il n'existait pas un moyen de lui faire prendre les cachets par la ruse. L'idée de recourir à la sournoiserie avec Mr. J.L.B. Matekoni ne lui plaisait guère, mais lorsque la raison d'une personne se trouvait perturbée, tous les moyens n'étaient-ils pas bons pour l'aider à se remettre ? C'était comme si cette personne s'était fait kidnapper par quelque démon qui la retenait prisonnière. On ne devait pas hésiter à employer la ruse pour venir à bout du démon en question. Selon elle, c'était totalement en accord avec la vieille morale botswanaise, et même, pensait-elle, avec toutes les morales du monde.

Elle se demanda donc si elle ne pouvait pas dissimuler les remèdes dans la nourriture de Mr. J.L.B. Matekoni. Cela eût été possible si elle avait pris tous les repas avec lui, mais ce n'était pas le cas. Il avait cessé de venir dîner chez elle et trouverait très étrange qu'elle surgisse soudain chez lui pour lui faire à manger. En outre, dans l'état de dépression qui l'affectait, il ne devait guère s'alimenter – le livre évoquait cet aspect des choses –, car il avait maigri de façon manifeste. Il serait donc impossible de lui faire prendre un traitement de cette manière, même si elle décidait que c'était la meilleure solution.

Elle soupira. Cela ne lui ressemblait pas de rester à observer un mur, et, l'espace d'un instant, elle songea qu'elle était peut-être, à son tour, en train de sombrer dans la dépression. Mais cette pensée fut vite dissipée : il était hors de question que Mma Ramotswe tombe malade maintenant. Tout reposait sur elle : le garage, l'agence, les enfants, Mr. J.L.B. Matekoni, Mma Makutsi – sans parler de la famille de cette dernière à Bobonong. Elle ne pouvait tout simplement pas se permettre un tel luxe. Elle se leva, défroissa sa robe et se dirigea vers le téléphone, à l'extrémité de la pièce. Elle saisit le petit carnet dans lequel elle notait les numéros de téléphone. Potokwane, Silvia. Directrice. Ferme des orphelins.

Mma Potokwane recevait une future mère adoptive quand Mma Ramotswe arriva. Assise dans la salle d'attente, Mma Ramotswe observa un petit gecko qui guettait une mouche au plafond, juste au-dessus d'elle. Le gecko et la mouche avaient tous les deux la tête en bas, le premier grâce aux minuscules ventouses qui terminaient chacun de ses doigts, la mouche grâce à ses crampons. Soudain, le gecko se propulsa en avant, mais il fut trop lent pour sa proie, qui s'élança en une ronde victorieuse avant d'aller se poser sur le rebord de la fenêtre.

Mma Ramotswe reporta son attention sur les magazines qui jonchaient la table basse. Une brochure présentait une photographie de groupe du gouvernement au grand complet. Mma Ramotswe étudia les visages. Elle connaissait beaucoup de ces gens, et dans un ou deux cas, elle savait même sur eux des choses qui ne seraient jamais publiées dans les brochures officielles. Elle aperçut le visage de l'Homme d'État, qui arborait un sourire confiant face au photographe, tandis qu'au fond de lui, elle le savait, il était dévoré d'angoisse pour son frère et imaginait toutes sortes de complots fomentés pour abréger les jours de ce dernier.

— Mma Ramotswe ?

Mma Potokwane avait pris congé de sa visiteuse et elle regardait Mma Ramotswe.

— Je suis désolée de vous avoir fait attendre, Mma, mais je crois que je viens de trouver un foyer à un enfant très difficile. Je voulais m'assurer que cette femme était la bonne personne.

Elles s'installèrent dans le bureau de la directrice, où une assiette couverte de miettes attestait la présence récente d'un cake aux fruits.

— Vous êtes venue pour me parler du garçon ? interrogea Mma Potokwane. Vous avez eu une idée, sans doute ?

Mma Ramotswe secoua la tête.

— Désolée, Mma, mais je n'ai pas eu le temps d'y réfléchir. J'ai été très occupée par d'autres choses.

Mma Potokwane sourit.

— Vous avez toujours été une femme très occupée.

— En fait, je suis venue vous demander une faveur, reprit Mma Ramotswe.

— À la bonne heure ! s'exclama Mma Potokwane, visiblement ravie. D'habitude, c'est moi qui réclame des faveurs ! Pour une fois, les rôles sont inversés et cela me fait plaisir.

— Mr. J.L.B. Matekoni est malade, expliqua Mma Ramotswe. Je pense qu'il souffre d'une maladie appelée dépression.

— Aïe ! interrompit Mma Potokwane. Je connais très bien cette maladie. N'oubliez pas que j'ai été infirmière. J'ai travaillé pendant un an à l'hôpital psychiatrique de Lobatse. J'ai vu les ravages que peut provoquer cette affection. Mais, au moins, il existe des traitements désormais. On peut se remettre d'une dépression.

— Je sais, répondit Mma Ramotswe. Mais pour cela, il faut prendre des médicaments. Or, Mr. J.L.B. Matekoni ne veut même pas voir de médecin. Il affirme qu'il n'est pas malade.

— C'est idiot, commenta Mma Potokwane. Il doit aller voir le docteur sur-le-champ. Vous devriez le lui dire.

— J'ai essayé. Il m'a répondu que tout allait bien. Il faut donc que je trouve quelqu'un pour l'emmener voir un médecin, de gré ou de force. Quelqu'un…

— Quelqu'un comme moi ? coupa Mma Potokwane.

— Oui. Il a toujours fait ce que vous lui demandiez. Il n'ose rien vous refuser.

— Mais il faudra qu'il prenne ses médicaments, fit remarquer Mma Potokwane. Je ne serai pas là pour le surveiller.

— Eh bien… hasarda Mma Ramotswe. Si… si vous l'ameniez ici, vous pourriez prendre soin de lui. Vous pourriez au moins vous assurer qu'il suit bien son traitement.

— Vous voulez dire que je devrais l'installer à la ferme des orphelins ?

— Oui. Gardez-le ici jusqu'à ce qu'il aille mieux.

Mma Potokwane tapota son bureau du bout des doigts.

— Et s'il ne veut pas venir ?

— Il n'osera jamais vous contredire, Mma, assura Mma Ramotswe. Il a trop peur de vous.

— Ah… fit Mma Potokwane, pensive. Je suis vraiment comme ça ?

— Un peu, répondit Mma Ramotswe avec un gentil sourire. Mais seulement avec les hommes. Les hommes respectent les directrices d'institution.

Mma Potokwane réfléchit un moment, puis reprit :

— Mr. J.L.B. Matekoni a toujours été un grand ami de la ferme des orphelins. Il a fait beaucoup pour nous. Je ferai cela pour vous, Mma. Quand dois-je aller le voir ?

— Dès aujourd'hui. Conduisez-le chez le Dr Moffat. Et aussitôt après, ramenez-le ici.

— Très bien, fit Mma Potokwane en s'échauffant à cette perspective. Je vais aller voir ce que c'est que cette histoire ! Refuser de voir le médecin ! Quelle imbécillité ! Je réglerai ce problème pour vous, Mma. Faites-moi confiance.

Mma Potokwane raccompagna Mma Ramotswe à sa voiture.

— Vous n'oublierez pas notre petit garçon, n'est-ce pas, Mma ? fit-elle. Vous vous souviendrez qu'il faut réfléchir à son cas ?

— Ne vous en faites pas, Mma. Vous m'avez libérée d'un grand poids. Maintenant, je vais m'efforcer de vous soulager à mon tour.

Le Dr Moffat reçut Mr. J.L.B. Matekoni dans son bureau, à l'extrémité de sa véranda, pendant que Mma Potokwane prenait le thé avec Mrs. Moffat dans la cuisine. La femme du médecin, qui était bibliothécaire, connaissait beaucoup de choses et Mma Potokwane l'avait consultée à plusieurs reprises lorsqu'elle avait besoin de se documenter. Le soir tombait et, dans le bureau du docteur, les insectes qui avaient réussi à franchir l'obstacle de la moustiquaire traçaient des cercles fous autour de l'ampoule, se lançant à corps perdu contre l'abat-jour, avant de s'éloigner, une aile brisée, étourdis par la chaleur. Sur le bureau étaient posés un stéthoscope et un tensiomètre, dont la pompe de caoutchouc pendait sur un côté. Sur le mur, une gravure ancienne représentait une mission au XIXe siècle.

— Voilà un bout de temps que je ne vous ai pas vu, Rra, commença le Dr Moffat. Ma voiture se porte très bien.

Mr. J.L.B. Matekoni esquissa un début de sourire, mais l'effort parut l'anéantir.

— Je ne me…

Il s'interrompit. Le Dr Moffat attendit, mais rien d'autre ne vint.

— Vous ne vous sentez pas bien ?

Mr. J.L.B. Matekoni hocha la tête.

— Je suis très fatigué. Je n'arrive pas à dormir.

— C'est très pénible. Quand on ne dort pas, on ne peut pas être en forme.

Il se tut un instant, puis poursuivit :

— Êtes-vous troublé par quelque chose en particulier ? Avez-vous des soucis ?

Mr. J.L.B. Matekoni réfléchit. Sa mâchoire montait et descendait comme s'il tentait d'articuler des mots impossibles à dire, et il finit par répondre :

— J'ai commis de très mauvaises actions il y a longtemps, et j'ai peur qu'elles remontent à la surface. Si cela arrive, ce sera la disgrâce pour moi. Les gens me jetteront des pierres. Ce sera la fin.

— Mais ces mauvaises actions, quelles sont-elles ? Vous savez que vous pouvez parler en toute sécurité avec moi, je ne dirai rien à personne.

— Ce sont des choses que j'ai faites il y a longtemps. De très vilaines choses. Je ne peux en parler à personne, pas même à vous.

— Vous ne voulez rien me dire à ce sujet ?

— Non.

Le Dr Moffat étudia son interlocuteur. Il remarqua le col mal boutonné. Il aperçut les chaussures aux lacets cassés. Il vit les yeux, presque larmoyants sous l'effet de l'angoisse, et il sut.

— Je vais vous donner des médicaments qui vous aideront à vous sentir mieux, déclara-t-il. Mma Potokwane, qui est à côté, va s'occuper de vous jusqu'à ce que vous soyez rétabli.

Mr. J.L.B. Matekoni hocha mécaniquement la tête.

— Il faut me promettre de prendre ces cachets, poursuivit le Dr Moffat. Me donnez-vous votre parole de suivre le traitement ?

Le regard de Mr. J.L.B. Matekoni, fixé sur le sol, ne bougea pas.

— Ma parole ne vaut rien, murmura-t-il.

— Là, c'est la maladie qui parle, assura le Dr Moffat avec douceur. Votre parole a une grande valeur, au contraire.

Mma Potokwane le ramena à la voiture et lui ouvrit la portière. Puis elle se tourna vers le Dr Moffat et son épouse, debout à la grille, et leur adressa un signe de main. Ils lui rendirent son salut, avant de retourner dans la maison. Alors, Mma Potokwane prit le chemin de la ferme des orphelins. La route passait devant le Tlokweng Road Speedy Motors. Le garage, déserté et plongé dans l'obscurité, n'eut pas droit à un seul regard de son propriétaire, son créateur, lorsque celui-ci le longea.

CHAPITRE XII

Histoires de famille

Elle se mit en route dans la fraîcheur du petit matin, bien que le trajet ne durât guère plus d'une heure. Rose avait préparé le petit déjeuner, qu'elle prit avec les enfants sur la véranda de sa maison de Zebra Drive. C'était un moment paisible : avant sept heures, peu de voitures circulaient. Quelques marcheurs passaient sur la route – un homme très grand vêtu d'un vieux pantalon déformé, qui mangeait un épi de maïs grillé, une femme avec son bébé endormi, qu'elle portait sur son dos dans un châle et dont la tête dodelinait. Il y avait aussi l'un des chiens jaunes du voisin, maigre et famélique, occupé à quelque quête canine mystérieuse mais précise. Mma Ramotswe tolérait les chiens en général, mais nourrissait une profonde aversion à l'égard des créatures jaunes à l'odeur nauséabonde qui vivaient à côté. Leurs hurlements la réveillaient la nuit – ils s'en prenaient aux ombres, à la lune, aux rafales de vent – et elle était persuadée qu'ils dissuadaient les oiseaux, qu'elle adorait, de venir peupler son jardin. Toutes les maisons, la sienne exceptée, possédaient leur quota de chiens qui, parfois, passaient outre le devoir de fidélité à leurs maîtres pour surmonter leur animosité mutuelle et déambuler dans les rues en bande, prenant en chasse voitures et cyclistes.

Mma Ramotswe remplit de thé rouge sa tasse et celle de Motholeli. Puso refusait de goûter au breuvage et préférait un verre de lait, dans lequel Mma Ramotswe versait deux généreuses cuillères de sucre en poudre. Le garçon aimait le sucré, sans doute en raison des friandises que sa sœur lui donnait jadis, quand elle s'occupait de lui dans leur arrière-cour de Francistown. Mma Ramotswe avait pris la ferme résolution de l'habituer aux aliments plus sains, mais ce changement exigerait visiblement beaucoup de patience. Rose avait préparé du porridge, présenté dans des bols, maculé de sombres traînées de mélasse, et il y avait aussi de la papaye coupée en morceaux dans une assiette. C'était un petit déjeuner très équili-bré pour un enfant, songea Mma Ramotswe. Qu'au-raient mangé ces deux-là s'ils étaient restés parmi les leurs ? Leur peuple survivait avec presque rien : des racines arrachées du sol, des vers, des œufs dérobés aux oiseaux. Pourtant, il chassait mieux que tout autre, et les enfants auraient aussi eu droit à de la viande d'autruche et de biche-cochon, un luxe pour les citadins.

Elle se souvint du jour où, voyageant vers le nord, elle s'était arrêtée en route pour boire une tasse de thé. Une aire de stationnement avait été ménagée à l'endroit où une pancarte défraîchie indiquait le tropique du Capricorne. Persuadée d'être seule, elle avait sursauté en voyant soudain surgir de derrière un arbre un Mosarwa, ou Bushman, comme on les appelait aussi. Il portait un simple pagne de cuir et tenait à la main un sac en peau de bête. Il s'était approché d'elle en sifflant dans ce drôle de langage qui les caractérise. Tout d'abord, elle avait pris peur : même si elle faisait deux fois la taille du nouveau venu, elle savait que ces gens-là ne se déplaçaient jamais sans leurs flèches et leur poison et qu'ils étaient par nature très rapides.

Elle s'était levée, maladroite, prête à abandonner son thermos pour courir se réfugier dans la petite fourgonnette blanche, mais il s'était contenté de désigner sa bouche en un signe suppliant. Comprenant soudain, Mma Ramotswe lui avait tendu sa tasse de thé, mais il avait signifié que ce n'était pas à boire, mais à manger qu'il voulait. Mma Ramotswe n'avait que deux sandwiches à l'œuf, qu'il saisit avec avidité quand elle les lui offrit, avant de mordre goulûment dans le premier. Lorsqu'il eut terminé, il se lécha les doigts et s'en alla. Elle le regarda disparaître dans le bush, s'évanouir dans la nature à la manière d'un animal sauvage. Elle se demanda ce qu'il avait pensé du sandwich, et si cette nourriture lui semblait meilleure ou moins bonne que celle qu'offrait le Kalahari : les petits rongeurs et les tubercules.

Les enfants avaient appartenu à ce monde-là, mais, pour eux, il ne pourrait être question de retour. C'était une vie à laquelle il était impossible de revenir, car les gestes qui étaient naturels à ces gens leur sembleraient irréalisables et le savoir-faire aurait disparu. Leur place, désormais, était auprès de Rose et de Mma Ramotswe, dans la maison de Zebra Drive.

— Je vais devoir m'absenter quatre ou cinq jours, expliqua Mma Ramotswe tandis qu'ils déjeunaient. Rose s'occupera de vous. Tout ira bien.

— Pas de problème, Mma, répondit Motholeli. Je l'aiderai.

Mma Ramotswe lui sourit. Cette fillette avait élevé son petit frère et aider les plus jeunes faisait partie de sa nature. Le moment venu, elle serait une excellente mère, pensa Mma Ramotswe, avant de se souvenir.

Pouvait-on être mère dans un fauteuil roulant ? Sans doute était-il impossible d'avoir des enfants quand on ne pouvait pas marcher, se dit-elle, et même dans le cas contraire, il n'était pas sûr qu'un homme soit prêt à épouser une handicapée. C'était injuste, mais il ne fallait pas se voiler la face. Tout se révélerait plus difficile pour cette enfant, toujours. Bien sûr, il existait des hommes bons qui n'y verraient pas d'inconvénient et voudraient s'unir à cette personne intelligente et courageuse, mais de tels individus étaient rares, et Mma Ramotswe n'en connaissait pas. Enfin, à première vue... Bien sûr, il y avait Mr. J.L.B. Matekoni, qui était la bonté même – malgré le comportement bizarre qu'il affichait en ce moment –, et il y avait l'évêque. Et puis, il y avait eu Sir Seretse Khama, homme d'État et chef suprême. Le Dr Merriweather, qui dirigeait l'Hôpital écossais de Molepolole, était quelqu'un de bien lui aussi. Et d'autres encore, moins connus, maintenant qu'elle y réfléchissait. Mr. Potolani, qui aidait les misérables et consacrait à cela tout l'argent que lui avaient rapporté ses magasins. Et l'homme qui était venu travailler sur son toit et qui avait réparé gratuitement la bicyclette de Rose quand il avait remarqué qu'elle ne roulait plus. En fait, il existait quantité d'hommes bons et généreux, et peut-être s'en présenterait-il un pour Motholeli le moment venu. C'était possible.

Encore fallait-il qu'elle eût envie de se marier, bien sûr. On pouvait tout à fait mener une vie satisfaisante, ou au moins correcte, en célibataire. Elle-même avait été heureuse ainsi, mais elle songea, tout compte fait, qu'il valait mieux avoir un mari. Elle attendait avec impatience le jour où elle serait en mesure de s'assurer que Mr. J.L.B. Matekoni était bien nourri. Le jour où, si un bruit se faisait entendre au milieu de la nuit – ce qui arrivait de plus en plus souvent ces derniers temps –, ce serait Mr. J.L.B. Matekoni qui se lèverait pour aller voir, et non plus elle-même. Nous avons tous besoin de quelqu'un dans cette vie, songea Mma Ramotswe. Besoin d'une personne dont nous pouvons faire notre petit dieu sur cette terre, comme disait le vieux dicton kgatla. Ce pouvait être un époux, un enfant ou un parent, ou même n'importe qui, d'ailleurs ; il devait y avoir quelqu'un qui donne un sens à notre existence. Elle-même, elle avait eu son Papa, le défunt Obed Ramotswe, mineur, éleveur et homme de bien. Faire des choses pour lui de son vivant lui avait procuré beaucoup de plaisir et, à présent, agir pour sa mémoire lui en donnait encore. Toutefois, le souvenir d'un père ne suffisait pas.

Bien sûr, certains disaient que rien de tout cela ne nécessitait un mariage dans les règles. Ils avaient raison, en un sens. On n'était pas obligé d'être marié pour avoir quelqu'un dans sa vie, mais alors, on n'avait aucune garantie de permanence. Certes, le mariage lui-même n'offrait pas cette garantie non plus, mais, au moins, les deux éléments du couple affirmaient, à un moment donné, souhaiter une union de longue durée. Même si la suite des événements leur donnait tort, au moins, ils avaient essayé. Mma Ramotswe répugnait à écouter ceux qui décriaient l'institution du mariage. Autrefois, bien sûr, celle-ci avait représenté un piège pour les femmes, car elle donnait presque tous les droits à l'homme, ne laissant à l'épouse que des devoirs. Le mariage tribal était de cette sorte, même si, avec l'âge, les femmes finissaient par acquérir respect et statut, surtout si elles avaient mis au monde des garçons. Mma Ramotswe n'approuvait pas du tout cette conception, mais elle estimait que la notion moderne de mariage, vu comme l'union de deux êtres égaux, était tout à fait différente. Les femmes commettaient une grave erreur, pensait-elle, en cessant de croire aux bienfaits du mariage. Elles pensaient que leur nouvelle indépendance mettrait un terme à la tyrannie masculine, et dans un sens, effectivement, elles avaient raison, mais cela donnait aussi aux hommes une belle occasion de se comporter en égoïstes. Si vous étiez un homme et que l'on vous disait que vous pouviez rester avec une femme tant qu'elle vous plaisait, puis la quitter pour une plus jeune, sans que personne trouve votre attitude répréhensible – dans la mesure où vous ne pratiquiez pas l'adultère, où était le mal ? –, cet arrangement vous conviendrait parfaitement.

— De nos jours, qui supporte toutes les souffrances ? avait demandé Mma Ramotswe à Mma Makutsi, un après-midi qu'elles attendaient le client à l'agence. N'est-ce pas les femmes que leur mari a abandonnées pour une jeunette ? N'est-ce pas ce qui arrive souvent ? Quand un homme atteint quarante-cinq ans et décide qu'il en a assez de sa femme, il en trouve une autre, beaucoup plus jeune.

— Vous avez raison, Mma, répondit Mma Makutsi. Ce sont les femmes du Botswana qui souffrent, pas les hommes. Eux, ils sont très heureux. J'ai constaté cela de mes yeux. Je l'ai vu à l'Institut de secrétariat du Botswana.

Mma Ramotswe attendit, espérant des détails.

— À l'Institut, il y avait des filles superbes, poursuivit l'assistante. En général, c'étaient celles qui réussissaient le moins bien dans les études, celles qui ont obtenu tout juste 50 sur 100 à l'examen, ou à peine plus. Ces filles-là sortaient trois ou quatre soirs par semaine et elles rencontraient des hommes plus âgés qui avaient de l'argent et de belles voitures.

Elles se fichaient pas mal de savoir si ces hommes étaient mariés. Elles dansaient et sortaient avec eux dans les bars. Et ensuite, que croyez-vous qu'il se passait, Mma ?

Mma Ramotswe secoua la tête.

— Je n'ai aucune peine à l'imaginer.

Mma Makutsi retira ses lunettes et les nettoya sur son chemisier.

— Elles demandaient à l'homme de quitter sa femme. Et l'homme trouvait l'idée excellente, et il partait avec la fille. Ce qui produisait des dizaines d'épouses malheureuses qui ne pourraient jamais retrouver un mari, puisque les hommes préfèrent les femmes jeunes et belles. J'ai vu cela arriver des dizaines de fois, Mma. Je pourrais même vous donner une liste de noms. Toute une liste.

— Ce n'est pas la peine, répondit Mma Ramotswe. J'ai moi-même une longue liste de femmes malheureuses parmi mes connaissances. Une très longue liste.

— Mais combien d'hommes malheureux connaissez-vous ? poursuivit Mma Makutsi. Combien connaissez-vous d'hommes qui restent chez eux en se demandant ce qu'ils vont faire, maintenant que leur épouse les a quittés pour un homme plus jeune ? Hein, combien ?

— Aucun, reconnut Mma Ramotswe. Pas un seul.

— Eh ben, voilà, conclut Mma Makutsi. Les femmes se sont fait piéger. On nous a piégées, Mma. Et nous marchons toutes vers le piège, comme le bétail vers l'abattoir.

Une fois les enfants envoyés à l'école, Mma Ramotswe chargea sa petite valise marron dans la voiture et quitta la ville. Elle longea les brasseries et les nouvelles usines, la banlieue pauvre, avec ses rangées de minuscules maisons en parpaing construites en bordure de la voie de chemin de fer qui menait à Francistown et Bulawayo, puis s'engagea sur la route qui la conduirait au lieu troublé qu'était sa destination. Les premières pluies étaient tombées et le veld brun desséché commençait à verdir, fournissant une bonne herbe au bétail et aux troupeaux de chèvres errants. La petite fourgonnette blanche n'avait pas de radio – du moins, pas de radio en état de marche –, mais Mma Ramotswe connaissait beaucoup de chansons qu'elle entonnait à tue-tête, vitres baissées, tout en s'emplissant les poumons de l'air pur du matin, tandis que les oiseaux volaient près de la route, leur plumage étincelant au soleil. Et là-haut, vide au-dessus du vide, ce ciel s'étendait sur des kilomètres et des kilomètres, du plus pâle des bleus.

La mission qui l'attendait la mettait mal à l'aise, car ce qu'elle s'apprêtait à faire, lui semblait-il, violait les principes fondamentaux de l'hospitalité. On n'entre pas sous de fausses couleurs dans une maison où l'on est invité. Pourtant, c'était précisément ce qu'elle s'apprêtait à faire. Bien sûr, elle était l'hôte du père et de la mère, mais même eux ne connaissaient pas le vrai but de sa visite. Ils la recevaient comme une personne à qui leur fils devait une faveur, alors qu'en réalité elle était une espionne. Évidemment, elle agirait pour une bonne cause, mais cela ne changeait rien au fait que son objectif était de s'insinuer dans la famille en vue de découvrir un secret.

À présent, au volant de la petite fourgonnette blanche, elle résolut de mettre sa mauvaise conscience de côté. Après tout, si elle pouvait tirer les choses au clair, cela profiterait aux deux parties en présence. Elle avait décidé de le faire parce que, tout bien réfléchi, il valait mieux mettre au jour un mensonge que de laisser une vie s'éteindre. Il fallait étouffer les scrupules et poursuivre l'objectif avec cœur. Inutile de se torturer l'esprit sur une décision déjà prise, en se demandant si c'était la bonne. Les tergiversations morales auraient pour effet de l'empêcher de jouer son rôle avec conviction et ses hésitations risquaient de la trahir. Ce serait comme si un comédien s'interrogeait, au beau milieu de la pièce, sur le personnage qu'il interprétait.

Elle doubla une mule attelée à une charrette et fit un signe de la main. L'homme qui conduisait lui rendit son salut, de même que les passagers, deux vieilles femmes, une autre plus jeune et un petit garçon. Sans doute s'en allaient-ils aux champs, songea Mma Ramotswe, un peu tard dans la saison, semblait-il, car ils auraient dû semer avant l'arrivée des premières pluies, mais ils planteraient leurs graines à temps et ils auraient ainsi du blé, et des melons, et des haricots, peut-être au moment des récoltes. Elle distingua dans la charrette plusieurs sacs qui devaient contenir le grain ainsi que la nourriture pour la journée. Les femmes prépareraient le porridge et, si les garçons avaient de la chance, ils attraperaient quelque chose pour la marmite – une oie jabotière, peut-être, qui ferait un succulent ragoût pour toute la famille.

Mma Ramotswe vit la charrette s'éloigner dans son rétroviseur, comme si tous ces gens repartaient vers le passé, rétrécissant à vue d'œil. Un jour, plus personne ne ferait cela. On n'irait plus aux champs semer son grain. Tout le monde achèterait sa nourriture dans les magasins, comme le faisaient les citadins. Mais quelle perte ce serait pour le pays ! L'amitié et la solidarité, l'amour de la terre seraient sacrifiés si cela devait arriver. Petite fille, elle aussi allait aux champs avec ses tantes, et elle y restait pendant que les garçons étaient envoyés aux postes de bétail, où ils passaient des mois dans un isolement total, surveillés par quelques vieux. Elle adorait ces périodes et ne s'ennuyait jamais. Avec les femmes, elle balayait les cours et tissait. Elles semaient les carrés de melons et se racontaient de longues histoires sur des événements qui n'avaient jamais eu lieu, mais qui pourraient arriver, peut-être, dans un autre Botswana, ailleurs.

Et puis, quand les pluies commençaient, elles se réfugiaient dans les huttes et écoutaient le tonnerre gronder sur le pays, sentant l'odeur de la foudre lorsque celle-ci tombait trop près, une odeur âcre d'air brûlé. Lorsqu'il ne pleuvait plus, elles sortaient et attendaient les fourmis volantes, qui quitteraient leurs trous dans le sol devenu meuble et seraient capturées avant même de prendre leur envol, ou encore saisies au vol au tout début de leur voyage, pour être mangées sur-le-champ, parce qu'elles avaient un bon goût de beurre.

Elle dépassa Pilane et jeta un coup d'œil à la route qui partait vers Mochudi, sur sa droite. C'était un lieu qu'elle aimait et qu'elle n'aimait pas. Elle l'aimait parce qu'elle avait grandi dans ce village. Elle ne l'aimait pas parce que juste là, un peu après le tournant, se trouvait l'endroit où un sentier traversait la voie ferrée et où sa mère avait trouvé la mort, heurtée par un train. Et même si Precious Ramotswe n'était encore qu'un bébé à l'époque, cela avait dressé une ombre sur sa vie. La mère dont elle ne pouvait se souvenir…

Elle approchait de sa destination. Elle avait des indications précises : la grille d'entrée était là, ménagée dans la clôture du bétail, exactement comme on le lui avait expliqué. Elle quitta la route et descendit de voiture pour ouvrir. Puis, s'engageant sur le mauvais chemin qui partait vers l'ouest, elle se dirigea vers le groupe de maisons qu'elle distinguait au loin, abritées par un bouquet d'arbres et surmontées par la tour d'un moulin à vent. C'était une ferme importante, songea Mma Ramotswe, et, l'espace d'un instant, elle eut un serrement au cœur. Obed Ramotswe eût adoré posséder un lieu comme celui-ci, mais même s'il avait bien réussi dans l'élevage, il n'avait jamais été assez riche pour cela. La ferme devait s'étendre sur trois mille hectares. Peut-être même plus.

L'ensemble des bâtiments s'articulait autour d'une immense maison de pierre au toit de tôle rouge, bordée de longues vérandas ombragées. C'était le corps de ferme original, encerclé par d'autres bâtisses construites au fil des ans, dont deux servaient également de maisons d'habitation. De chaque côté de la ferme poussaient de luxuriantes bougainvillées mauves et derrière se dressaient des papayers. On avait pris soin de ménager le plus d'ombre possible – car à faible distance, à l'ouest, un peu au-delà de ce que l'œil pouvait distinguer, le paysage changeait et le Kalahari débutait. Mais ici, il y avait encore de l'eau et le bush était bon pour les bêtes. Il fallait dire que, non loin de là, à l'est, le Limpopo prenait sa source et, même s'il n'était pas encore une véritable rivière à ce niveau, il débordait parfois de son lit à la saison des pluies.

Un camion était garé contre l'un des bâtiments et Mma Ramotswe laissa la petite fourgonnette blanche à côté. Il y avait un coin d'ombre tentant sous un grand arbre, mais il eût été impoli de la part de Mma Ramotswe de choisir un tel endroit, qui devait être réservé aux véhicules des maîtres du lieu.

Elle laissa la valise sur le siège passager et marcha jusqu'à la grille qui ouvrait sur la cour de la maison principale. Là, elle appela. Elle ne pouvait entrer sans y avoir été autorisée. Ne recevant pas de réponse, elle réitéra son appel. Cette fois, une porte s'ouvrit et une femme d'âge moyen sortit, s'essuyant les mains sur son tablier. Elle accueillit poliment Mma Ramotswe et l'invita à pénétrer dans la maison.

— Elle vous attend, dit-elle. Je suis la plus ancienne domestique de la famille. Je m'occupe de la vieille femme. Elle vous attend.

Il faisait frais sous l'avant-toit de la véranda, et plus encore dans l'intérieur obscur de la maison. Il fallut quelques instants à Mma Ramotswe pour s'acclimater au changement de lumière et, tout d'abord, elle distingua des ombres plutôt que des formes. Puis elle aperçut la chaise au haut dossier où la vieille femme était assise et la table, à côté d'elle, sur laquelle étaient posés un broc et une théière.

Après un premier échange de salutations, Mma Ramotswe fit la révérence à la vieille femme. Cela parut plaire à son hôtesse, qui constata qu'elle avait affaire à une personne comprenant les traditions, contrairement à ces femmes modernes de Gaborone qui, pleines d'insolence, pensaient tout savoir et ne se souciaient pas le moins du monde des anciens. Ah, elles se croyaient intelligentes ! Elles se croyaient malignes, à faire des métiers masculins et à se comporter comme des chiennes avec les hommes ! Ha, ha ! Mais ce n'était pas ainsi que les choses se passaient à la campagne ; ici, les coutumes gardaient toute leur valeur, en particulier dans cette maison !

— Vous êtes très aimable de m'inviter à séjourner ici, Mma. Et votre fils est très gentil, lui aussi.

La vieille femme sourit.

— Non, Mma, ne me remerciez pas. Je suis désolée d'apprendre que vous rencontrez des difficultés. Vous verrez : les problèmes qui vous paraissent énormes, considérables en ville, deviennent tout petits quand on est ici. Qu'est-ce qui nous occupe ici ? La pluie. L'herbe pour le bétail. Aucune de ces choses pour lesquelles les gens se font du souci à la ville. Ces choses-là n'ont plus la moindre importance quand on se retrouve ici. Vous verrez.

— C'est un bel endroit, fit remarquer Mma Ramotswe. Très paisible.

La vieille femme réfléchit.

— Oui, dit-elle, c'est paisible. Ça l'a toujours été, et je ne voudrais pas que cela change.

Elle versa de l'eau dans un verre, qu'elle tendit à son invitée.

— Il faut boire, Mma. Vous devez avoir très soif après votre voyage.

Mma Ramotswe saisit le verre et remercia. Tandis qu'elle se désaltérait, la vieille femme l'observa avec attention.

— D'où venez-vous, Mma ? interrogea-t-elle. Avez-vous toujours vécu à Gaborone ?

La question ne surprit pas Mma Ramotswe. C'était une façon polie de découvrir où se portaient les allégeances d'un individu. Il existait huit grandes tribus au Botswana – et d'autres moins importantes – et même si beaucoup de jeunes estimaient que ces choses-là ne comptaient pas, les anciens, eux, ne partageaient pas cet avis. Cette femme, avec son haut statut dans la société tribale, ne pouvait que s'intéresser à ces questions.

— Je viens de Mochudi, répondit-elle. C'est là que je suis née.

La vieille femme parut se détendre.

— Ah ! s'exclama-t-elle. Dans ce cas, vous êtes kgatla, comme nous ! Dans quel quartier viviez-vous ?

Mma Ramotswe expliqua ses origines et la vieille femme hocha la tête. Elle connaissait ce chef, oui, et le cousin de ce chef, qui était marié à la sœur de l'épouse de son frère. Oui, pensait-elle, elle avait rencontré Obed Ramotswe bien des années auparavant. Puis, fouillant dans sa mémoire, elle ajouta :

— Votre mère est décédée, n'est-ce pas ? C'est celle qui a été tuée par un train quand vous étiez bébé.

Mma Ramotswe fut à peine étonnée. Il existait des personnes qui se faisaient un devoir de conserver le souvenir des affaires de la communauté et, à l'évidence, cette femme était de celles-là. On qualifiait aujourd'hui ces gens d'*historiens de la tradition orale*. En réalité, ce n'étaient rien d'autre que de vieilles femmes attachées à la mémoire de ce qui les intéressait le plus : les mariages, les morts, les enfants. Les hommes âgés, eux, faisaient de même pour le bétail.

La conversation se poursuivit et la vieille femme extorqua peu à peu à son interlocutrice l'histoire complète de sa vie. Mma Ramotswe parla de Note Mokoti et l'autre secoua la tête, compatissante, avant d'affirmer qu'il existait beaucoup d'hommes de ce genre et qu'il fallait les fuir comme la peste.

— Moi, c'est ma famille qui a choisi mon mari, expliqua-t-elle. Elle a entamé des négociations, mais je sais qu'on ne m'aurait pas forcée si je n'avais pas été d'accord. Mes parents ont choisi à ma place, sachant quel homme serait bon pour moi. Et ils ne se sont pas trompés. Mon mari est quelqu'un de très bien. Je lui ai donné trois fils. Il y en a un qui trouve un intérêt particulier à compter le bétail, ce qui est devenu son hobby. Il est très intelligent, à sa façon. Il y a celui que vous connaissez, Mma, et qui occupe un poste très important au gouvernement. Et puis, il y a celui qui vit ici. C'est un très bon fermier et les taureaux qu'il élève remportent tous des prix. Ces trois garçons sont très bien. J'en suis fière.

— Avez-vous été heureuse, Mma ? interrogea Mma Ramotswe. Accepteriez-vous de changer de vie ? Si quelqu'un arrivait et vous disait : *Voilà une pilule qui a le pouvoir de transformer votre vie*, l'avaleriez-vous ?

— Jamais, répondit la vieille femme. Jamais. Jamais. Dieu m'a donné tout ce qu'une femme peut souhaiter. Un bon mari, trois fils grands et forts, de bonnes jambes qui, encore maintenant, me permettent de marcher huit ou neuf kilomètres par jour sans me plaindre. Soixante-seize ans et pas une dent qui manque. Mon mari, c'est la même chose. Nos dents dureront jusqu'à cent ans. Peut-être encore plus.

— Vous avez beaucoup de chance, commenta Mma Ramotswe. Tout va bien pour vous.

— Presque tout, répondit la vieille femme.

Mma Ramotswe attendit. S'apprêtait-elle à ajouter quelque chose ? Peut-être allait-elle révéler qu'elle avait surpris sa bru en train de commettre un acte répréhensible, qu'elle l'avait vue préparer le poison. Il n'en fut rien.

— Quand arrive la saison des pluies, expliqua-t-elle, mes bras réagissent à l'humidité. J'ai mal là, juste là. Durant deux ou trois mois, ces douleurs m'empêchent de coudre. J'ai essayé tous les remèdes, mais rien n'y fait. Alors je me dis que si Dieu ne m'a donné que cela à porter dans cette vie, j'ai tout de même beaucoup de chance.

La servante qui avait accueilli Mma Ramotswe fut appelée pour conduire l'invitée à sa chambre, située à l'arrière de la maison. C'était une pièce sobrement meublée, avec un couvre-lit en patchwork et une photo-

graphie encadrée de la colline de Mochudi au mur.
Il y avait une table recouverte d'un napperon blanc
en crochet et une petite commode pour ranger les
vêtements.

— Cette chambre n'a pas de rideaux, fit remarquer
la servante. Mais il ne passe jamais personne devant
cette fenêtre ; vous serez tranquille.

Le déjeuner serait servi à une heure, annonça-t-elle,
et jusque-là Mma Ramotswe devrait s'occuper toute
seule.

— Il n'y a rien à faire ici, ajouta-t-elle avec un
soupir. Ce n'est pas Gaborone, c'est sûr…

Elle s'apprêtait à sortir, mais Mma Ramotswe la
retint. D'après son expérience, la meilleure façon de
délier les langues consistait à faire parler les gens
d'eux-mêmes. Cette bonne devait avoir son point de
vue, se dit-elle. Elle n'était pas bête, cela se voyait,
et elle s'exprimait dans un setswana correct, avec une
prononciation soignée.

— Qui d'autre vit ici, Mma ? demanda Mma
Ramotswe. Y a-t-il d'autres membres de la famille ?

— Oui, répondit la servante. Il y en a d'autres.
Il y a le fils, qui vit là avec sa femme. Ils ont trois
fils, vous savez. Un qui a un tout petit cerveau et qui
compte les vaches toute la journée. Il passe sa vie au
poste de bétail, il ne vient jamais ici. Il est comme un
gamin, vous comprenez, c'est pour ça qu'il reste tout
le temps là-bas, avec les bergers. Les gosses le traitent
comme un des leurs, bien qu'il soit adulte. Bon, ça
fait déjà un… Ensuite, il y a celui de Gaborone, qui
est très célèbre, et puis celui d'ici. Voilà pour les fils.

— Et que pensez-vous de ces fils, Mma ?

C'était une question directe et peut-être l'avait-elle
posée trop tôt, ce qui était risqué. Une telle indiscré-
tion pouvait éveiller les soupçons de la femme. Ce

ne fut pas le cas, toutefois : au contraire, la servante s'assit sur le lit.

— Eh bien, je vais vous dire, Mma, commença-t-elle. Le fils qui reste là-bas, au poste de bétail, c'est quelqu'un de très triste. Pourtant, vous devriez entendre sa mère parler de lui ! Elle affirme qu'il est intelligent ! Intelligent ! Lui ! Mais c'est un petit garçon, Mma ! Ce n'est pas sa faute, mais voilà ce qu'il est. Le poste de bétail est le meilleur endroit pour lui, mais ils ne devraient pas prétendre qu'il est intelligent. C'est un mensonge, Mma. C'est comme dire que la pluie tombe à la saison sèche. Ce n'est pas vrai.

— Non, répondit Mma Ramotswe. Vous avez raison.

La servante remarqua à peine l'intervention.

— Ensuite, il y a celui de Gaborone, poursuivit-elle. Quand il vient ici, il sème la pagaille. Il pose sans arrêt des questions, il fourre son nez partout. Il lui arrive même de s'en prendre à son père, vous le croyez, vous ? Mais quand il commence à être violent, la mère crie encore plus fort et elle le remet à sa place. C'est peut-être quelqu'un de très puissant à Gaborone, mais ici, ce n'est qu'un fils, et un fils ne doit pas crier sur ses parents.

Mma Ramotswe était ravie. Elle avait devant elle le type même de la domestique qu'elle adorait interroger.

— Vous avez raison, Mma, approuva-t-elle. Les gens crient trop de nos jours. Des cris, des cris… On n'entend plus que ça partout. Mais pourquoi croyez-vous que cet homme-là crie ? Juste pour s'éclaircir la voix ?

La servante se mit à rire.

— Ça, il n'en a pas besoin ! De la voix, il en a, celui-là ! Non, il crie parce qu'il dit qu'il se passe quelque chose de mauvais dans cette maison. Il dit qu'on ne fait pas les choses comme il faudrait. Et puis, il raconte aussi...

Elle baissa le ton :

— Il raconte aussi que l'épouse de son frère est une mauvaise femme. Il l'a dit au père, en long et en large. Je l'ai entendu. Les gens croient toujours que les bonnes n'entendent rien, mais on a des oreilles, nous aussi, comme tout le monde ! Je l'ai entendu dire ça. Il a dit du mal d'elle.

Mma Ramotswe leva un sourcil.

— Du mal ?

— Il a dit qu'elle couchait avec d'autres hommes. Que quand elle aura un enfant, il ne sera pas de la famille. Que ses fils seront ceux d'autres hommes et qu'un autre sang viendra se mêler à celui de la ferme. C'est ce qu'il a dit.

Mma Ramotswe garda le silence, les yeux rivés sur la fenêtre. Juste devant, une bougainvillée versait une ombre mauve autour d'elle. Au-delà, les épineux qui ponctuaient les basses collines jusqu'à l'horizon formaient un paysage désolé, à l'orée du grand vide.

— Et vous croyez qu'il dit la vérité, Mma ? Qu'il y a quelque chose de fondé dans ce qu'il raconte au sujet de cette femme ?

Le visage de la servante se crispa.

— La vérité, Mma ? La vérité ? Mais cet homme-là ne sait même pas ce que *vérité* veut dire ! Bien sûr que ce n'est pas la vérité ! Cette femme est une excellente femme. C'est la cousine du cousin de ma mère. Dans la famille, ils sont tous chrétiens, tous. Ils lisent la Bible. Ils respectent le Seigneur. Les femmes ne couchent pas avec d'autres hommes que leur mari. Ça, c'est la vérité. La seule.

CHAPITRE XIII

Le Juge Suprême de la Beauté

En partant travailler ce matin-là, Mma Makutsi, directrice par intérim du garage Tlokweng Road Speedy Motors et assistante-détective à l'Agence N° 1 des Dames Détectives, éprouvait une sourde inquiétude. Même si elle adorait les responsabilités et se félicitait des deux promotions dont elle avait bénéficié, elle avait, jusque-là, toujours compté sur la présence rassurante de Mma Ramotswe, vers qui elle pouvait se tourner à la moindre hésitation. Maintenant que cette dernière était partie, elle portait seule la responsabilité de deux entreprises et deux employés. Mma Ramotswe ne resterait pas plus de quatre ou cinq jours à la ferme, certes, mais en quatre ou cinq jours, il pouvait arriver bien des catastrophes, et la détective en chef étant injoignable, Mma Makutsi devrait répondre de tout. Pour le garage, elle savait que Mr. J.L.B. Matekoni séjournait à la ferme des orphelins, où l'on s'occupait bien de lui, et qu'il ne fallait pas chercher à le contacter tant qu'il n'était pas rétabli. Du repos et l'oubli des soucis professionnels, voilà ce qu'avait préconisé le Dr Moffat, et Mma Potokwane, qui n'avait pas l'habitude de contredire les médecins, mettrait tout en œuvre pour préserver son patient.

Mma Makutsi espérait donc secrètement qu'aucun client ne se présenterait à l'Agence N° 1 des Dames

Détectives avant le retour de Mma Ramotswe. Non qu'elle n'eût pas envie de mener des enquêtes – au contraire –, mais elle redoutait l'ampleur de la responsabilité qui pèserait alors sur ses épaules.

Bien entendu, un client apparut dès le matin. Pire, le problème qui l'amenait exigeait une attention immédiate.

Assise au bureau de Mr. J.L.B. Matekoni, Mma Makutsi établissait les factures lorsqu'un des apprentis passa la tête par la porte entrouverte.

— Il y a un gars du genre plutôt chic qui veut vous parler, Mma, annonça-t-il tout en essuyant ses mains couvertes de cambouis sur son bleu de travail. J'ai ouvert l'agence et je lui ai dit d'attendre.

Mma Makutsi fronça les sourcils.

— Du genre plutôt chic ?

— Beau costume, commenta l'apprenti. Enfin, vous voyez... Très beau, comme moi, mais dans un autre style. Avec des chaussures qui brillent. Le monsieur chic, quoi... Faites attention à vous, Mma. Les types comme ça cherchent toujours à faire du plat aux dames comme vous. Vous verrez ce que je vous dis...

— Ne t'essuie pas les mains sur ta combinaison, lança Mma Makutsi en se levant. On voit que ce n'est pas toi qui paies le nettoyage. On vous donne exprès des chiffons pour vous essuyer les mains. C'est à ça qu'ils servent, les chiffons. Mr. J.L.B. Matekoni ne vous l'a pas expliqué ?

— Peut-être, répondit l'apprenti. Ou peut-être pas. Il disait tellement de choses, le patron ! On ne peut pas se rappeler de tout...

Mma Makutsi le repoussa pour franchir la porte. Ces garçons étaient impossibles, songea-t-elle, mais au moins, ils se révélaient plus travailleurs que prévu.

Sans doute Mr. J.L.B. Matekoni s'était-il montré trop indulgent avec eux jusque-là. Il était si gentil ! Il n'était pas dans sa nature de critiquer les autres. Eh bien, pour elle, cela ne posait aucun problème : c'était dans sa nature ! Elle sortait de l'Institut de secrétariat du Botswana, où les professeurs disaient toujours : *Ne craignez pas de critiquer – de façon constructive, évidemment – vos propres résultats et, si nécessaire, ceux des autres.* Eh bien, voilà, Mma Makutsi avait critiqué et cela avait porté ses fruits. Le garage connaissait une belle prospérité et il semblait y avoir de plus en plus de travail.

Elle s'immobilisa à l'angle du bâtiment pour admirer le véhicule garé sous l'arbre derrière elle. Cet homme – « du genre plutôt chic », comme avait dit l'apprenti – possédait une très belle voiture. Elle laissa son regard s'attarder sur les lignes pures de la carosserie et les deux antennes, l'une à l'avant, l'autre à l'arrière. Pourquoi deux antennes ? On ne pouvait écouter deux stations de radio à la fois ni passer deux coups de téléphone en conduisant. Quelle que fût la raison, toutefois, ces antennes ajoutaient au luxe et à l'impression de puissance qui émanaient du véhicule.

Elle poussa la porte. Installé dans un fauteuil face au bureau de Mma Ramotswe, les jambes croisées en une élégante décontraction, se trouvait Mr. Moemedi Pulani, identifiable au premier coup d'œil pour tout lecteur du *Botswana Daily News*, dans les colonnes duquel son beau visage plein d'assurance apparaissait souvent. La première pensée de Mma Makutsi en le découvrant fut de pester contre l'apprenti, qui aurait dû le reconnaître. L'espace d'un instant, elle fut contrariée de ce manquement, mais elle se souvint aussitôt que le garçon était apprenti mécanicien, et non apprenti détective, et qu'en outre elle ne l'avait jamais vu lire un journal. Les deux jeunes gens feuilletaient régulièrement un magazine automobile sud-africain, qui les plongeait dans une intense fascination, ainsi qu'une publication intitulée *Filles de rêve*, qu'ils tentaient de dissimuler chaque fois que Mma Makutsi surgissait près d'eux pendant la pause-déjeuner. Il n'y avait donc aucune raison, comprit-elle, qu'ils connaissent Mr. Pulani, son empire dans le domaine de la mode et son engagement en faveur d'œuvres caritatives locales.

Mr. Pulani se leva pour la saluer avec courtoisie. Ils échangèrent une poignée de main, puis Mma Makutsi contourna le bureau et prit place dans le fauteuil de Mma Ramotswe.

— Je suis ravi que vous puissiez me recevoir sans rendez-vous, Mma Ramotswe, déclara Mr. Pulani en sortant de sa poche-poitrine un étui à cigarettes en argent.

— Je ne suis pas Mma Ramotswe, Rra, rectifia-t-elle, avant de refuser d'un signe de tête la cigarette qu'il lui offrait. Je suis la directrice par intérim de l'agence.

Elle s'arrêta. Ce n'était pas la stricte vérité. À vrai dire, c'était même tout à fait faux. Toujours est-il qu'elle dirigeait bien l'agence en l'absence de Mma Ramotswe, ce qui justifiait certainement cette façon de présenter les choses.

— Ah bon, fit Mr. Pulani en allumant sa cigarette à l'aide d'un gros briquet plaqué or. J'aimerais parler à Mma Ramotswe en personne, je vous prie.

Mma Makutsi tressaillit lorsque le nuage de fumée lui parvint en plein visage.

— Je suis désolée, répondit-elle, mais ce ne sera pas possible avant plusieurs jours. Mma Ramotswe mène actuellement une enquête très importante à l'étranger.

Elle s'interrompit de nouveau. L'exagération lui était venue spontanément. Il était certes plus impressionnant de situer Mma Ramotswe à l'étranger – cela donnait à l'agence une envergure internationale –, mais tout de même, elle n'aurait pas dû dire cela.

— Je vois, fit Mr. Pulani. Eh bien, Mma, dans ce cas, c'est à vous que je vais parler.

— Je vous écoute, Rra.

Mr. Pulani s'adossa à son fauteuil.

— Il s'agit d'un problème très urgent. Pourrez-vous vous en occuper dès aujourd'hui, toutes affaires cessantes ?

Mma Makutsi s'emplit les poumons d'une grande bouffée d'air pur avant l'expulsion de fumée suivante.

— Nous sommes à votre disposition, assura-t-elle. Bien sûr, les tarifs sont plus élevés quand il y a urgence. Vous le comprendrez, Rra.

Il disqualifia la mise en garde d'un geste négligent.

— Peu importe le prix. Ce qui est en jeu ici, c'est l'avenir du concours de Miss Beauté et Intégrité.

Il se tut pour laisser ces paroles peser de tout leur poids. Mma Makutsi lui lança la réponse qu'il attendait.

— Oh ! Je vois qu'il s'agit d'une affaire très sérieuse.

Mr. Pulani acquiesça.

— Exactement, Mma. Et nous n'avons que trois jours pour la régler. À peine trois jours.

— Expliquez-moi ça, Rra. Je vous écoute.

— Il n'est pas inutile de rappeler certains faits, Mma, commença Mr. Pulani. L'histoire remonte, je pense, à des temps très, très anciens. En réalité, tout a commencé dans le jardin d'Éden, lorsque Dieu a créé Adam et Ève. Vous vous souvenez que si Ève est parvenue à tenter Adam, c'est en raison de sa grande beauté. Depuis, les femmes ont continué à être belles aux yeux des hommes, et elles le sont encore, comme vous le savez.

« Bon, les hommes du Botswana aiment les jolies femmes. Ils ne cessent de les regarder, même lorsqu'ils prennent de l'âge, et de se dire : "Cette femme est belle", ou "Celle-ci est plus jolie que celle-là", etc.

— Ils font la même chose avec le bétail, fit remarquer Mma Makutsi. Ils disent : « Cette vache-là est bonne », et « Celle-ci est moins bonne. » Le bétail. Les femmes. C'est la même chose pour les hommes.

Mr. Pulani lui jeta un regard en biais.

— Peut-être, admit-il. C'est une façon de voir les choses. Peut-être.

Il marqua un temps d'arrêt, avant de poursuivre :

— Quoi qu'il en soit, c'est cet intérêt des hommes pour les belles femmes qui fait des concours de beauté des événements si populaires au Botswana. Nous aimons trouver les plus jolies filles du pays et leur décerner des titres et des récompenses. C'est une forme de distraction très importante pour les hommes. Et je fais moi-même partie de ces hommes, Mma. Je suis investi dans le monde des reines de beauté depuis quinze ans, sans discontinuer. Je suis peut-être la personne la plus importante lorsqu'il est question de la beauté des choses.

— Je vous ai souvent vu dans les journaux, Rra, confirma Mma Makutsi. Je vous ai vu présenter les prix.

Mr. Pulani hocha la tête.

— J'ai lancé le concours Miss Prestige du Botswana il y a cinq ans et maintenant, c'est le numéro un. La femme qui remporte le titre se trouve toujours sélectionnée pour l'élection de Miss Botswana et on la voit parfois même concourir pour Miss Univers. Nous avons envoyé des femmes à New York et à Palm Springs. Elles ont reçu de très bonnes notes pour leur beauté. Certains affirment même que c'est notre meilleur produit d'exportation après les diamants.

— Et le bétail, ajouta Mma Makutsi.

— Oui, le bétail aussi, consentit Mr. Pulani. Seulement, voyez-vous, il y a toujours des gens mal intentionnés pour tirer sur nous à boulets rouges. Des gens qui écrivent aux journaux en prétendant qu'il est malsain d'encourager les femmes à se pomponner pour se pavaner devant des hommes. Ils disent que cela provoque l'émergence de fausses valeurs. Pouh ! Des fausses valeurs ? Ceux qui écrivent ça ne sont que des jaloux. Des personnes qui envient la beauté de ces filles. Qui savent qu'elles-mêmes ne seraient jamais sélectionnées pour participer à ces concours. Alors elles se plaignent et sont très contentes lorsqu'une compétition se passe mal. Elles oublient au passage que ces manifestations permettent de recueillir des fonds importants pour les œuvres caritatives. L'an dernier, Mma, nous avons récolté cinq mille pula pour l'hôpital, vingt mille pour la lutte contre la sécheresse – oui, Mma, vingt mille ! – et près de huit mille pour des bourses de formation d'infirmières. Ce sont des sommes considérables, Mma. Mais combien d'argent nos détracteurs ont-ils réuni, eux, je vous le demande ? Je peux vous donner la réponse : rien du tout.

« Seulement, nous devons nous montrer prudents. Nous recevons beaucoup d'argent des sponsors, et si les sponsors se retirent, nous rencontrerons des difficultés. Si quelque chose se passe mal lors d'un concours, ils peuvent très bien nous dire qu'ils ne veulent plus avoir affaire avec nous. Nous dire qu'ils n'ont pas envie de se retrouver en mauvaise posture à cause d'une publicité dévalorisante. Nous dire qu'ils paient pour de la bonne publicité, et pour rien d'autre.

— Et il y a eu un problème ?

Mr. Pulani tapota nerveusement le bureau.

— Oui. Il s'est passé des choses très graves. L'an dernier, on s'est aperçu que deux de nos reines de beauté étaient des femmes indignes de confiance. L'une d'elles a été arrêtée pour prostitution dans un grand hôtel. Ce n'était pas bon pour notre image. La deuxième a menti pour obtenir des marchandises et a utilisé une carte de crédit sans autorisation. Les journaux ont publié des dizaines de lettres dans le courrier des lecteurs. Nos ennemis pavoisaient : « Est-ce vraiment des filles comme celles-là qui doivent être les ambassadrices du Botswana ? » disaient-ils. Ou bien : « Pourquoi ne pas aller chercher directement des femmes dans les prisons du pays pour les nommer reines de beauté ? » Ils s'amusaient beaucoup avec ça, mais ce n'était pas drôle du tout. Du coup, certaines entreprises nous ont expliqué que, si un tel incident se reproduisait, elles cesseraient de nous sponsoriser. J'ai reçu quatre lettres qui disaient toutes la même chose.

« J'ai donc décidé que, cette année, le thème de notre concours serait Beauté et Intégrité. J'ai dit aux gens qui travaillent pour nous que nous devions choisir des reines de beauté qui soient aussi de bonnes citoyennes, afin qu'elles ne nous causent pas de tels soucis. C'est la seule façon de s'assurer la satisfaction de nos sponsors.

« Pour participer au premier tour, les candidates ont donc dû remplir un questionnaire que j'ai élaboré moi-même. Il contenait toutes sortes de questions sur leur façon de voir la vie. Nous demandions par exemple : Aimeriez-vous travailler pour une œuvre de bienfaisance ? Ou encore : Quelles sont les valeurs que doit soutenir un bon citoyen du Botswana ? Et : Vaut-il mieux donner ou recevoir ?

« Toutes les filles ont rempli ce questionnaire et seules celles qui ont montré qu'elles comprenaient le sens du mot *citoyenneté* ont été retenues pour la finale. Parmi ces filles, nous en avons ensuite choisi cinq. Je suis alors allé dans les rédactions des journaux pour expliquer que nous avions trouvé cinq très bonnes citoyennes qui croient aux vraies valeurs. Il y a eu un article dans le *Botswana Daily News* intitulé : *Filles modèles pour prix de beauté*.

« J'étais très heureux, et le silence s'est fait du côté de nos détracteurs, qui n'avaient plus qu'à se croiser les bras, étant donné qu'ils ne pouvaient critiquer des femmes qui exprimaient le désir d'être de bonnes citoyennes. Les sponsors m'ont téléphoné pour me signifier leur satisfaction d'être associés aux valeurs de la citoyenneté et leur désir de continuer à nous sponsoriser l'an prochain, si tout se passait bien. Et les œuvres caritatives elles-mêmes m'ont félicité de m'être engagé sur une bonne voie pour l'avenir.

Mr. Pulani se tut. Il regarda Mma Makutsi et, tout à coup, ses manières mondaines l'abandonnèrent pour faire place à un découragement patent.

— Et puis, hier soir, la mauvaise nouvelle est tombée. L'une des filles sélectionnées a été arrêtée par la police en flagrant délit de vol à l'étalage. Je l'ai appris de l'un de mes employés et lorsque j'ai vérifié auprès d'un ami commissaire, la chose a été confirmée. La fille avait été surprise en train de voler au supermarché Game. Elle tentait de dérober une poêle à frire, qu'elle avait glissée sous son chemisier. Seulement, elle n'avait pas vu que le manche dépassait sur le côté et les surveillants du magasin l'ont repérée. Heureusement, les journaux n'en ont pas parlé et, avec un peu de chance, ils n'en sauront rien, du moins avant que l'affaire ne soit jugée au tribunal.

Mma Makutsi ressentit un élan de sympathie pour Mr. Pulani. Malgré ses côtés m'as-tu-vu, il ne faisait aucun doute qu'il s'impliquait corps et âme dans les œuvres caritatives. Bien sûr, le monde de la mode ne pouvait être que m'as-tu-vu, mais cet homme n'était sans doute pas pire qu'un autre et, au moins, il agissait pour aider les gens dans le besoin. Et puis, les concours de beauté étaient une réalité de la vie que l'on ne pouvait espérer voir disparaître. S'il tentait de rendre le sien plus acceptable, il méritait d'être soutenu.

— Je suis désolée d'apprendre cela, Rra, dit-elle. Cela a dû être une très mauvaise nouvelle pour vous.

— Oui, répondit-il d'un ton misérable. Et c'est encore plus grave quand on sait que la finale a lieu dans trois jours. Il ne reste plus que quatre filles en lice, mais comment savoir si elles ne vont pas me causer de nouveaux problèmes ? Celle-ci a dû mentir en remplissant le questionnaire et elle a réussi à se faire passer pour une bonne citoyenne. Comment puis-je être sûr que les autres ne mentent pas quand elles affirment avoir envie de travailler pour des œuvres caritatives ? Comment le savoir ? Si nous élisons une fille qui a menti, on risque de découvrir bientôt que c'est une voleuse, ou pire encore… Ce qui signifie que nous courons à la catastrophe…

Mma Makutsi hocha la tête.

— C'est très délicat. Il faudrait pouvoir lire dans le cœur des quatre candidates restantes. S'il y en a une vraiment sincère parmi elles…

— S'il y en a une, coupa Mr. Pulani avec force, ce sera elle qui l'emportera. Je la ferai gagner.

— Mais… et les autres juges ? s'étonna Mma Makutsi.

— Je suis président du jury, expliqua Mr. Pulani. On pourrait m'appeler Juge Suprême de la Beauté. Mon vote est le seul qui compte.

— Je vois…

— Oui. C'est ainsi que les choses fonctionnent.

Mr. Pulani écrasa sa cigarette sur la semelle de sa chaussure.

— Vous savez tout, Mma. Voilà ce que je suis venu vous demander. Je vais vous donner les noms et adresses des quatre femmes en lice. J'aimerais que vous me disiez s'il y en a une parmi elles qui soit réellement honnête. Si vous découvrez qu'il n'y en a pas, j'aimerais au moins savoir laquelle est la moins malhonnête du lot. Ce serait un deuxième choix.

Mma Makutsi se mit à rire.

— Comment voulez-vous que je sonde les cœurs de ces filles en si peu de temps ? s'enquit-elle. Il faudrait que je parle à un très grand nombre de gens pour savoir vraiment ce que vaut chacune. Cela prendrait des semaines.

Mr. Pulani haussa les épaules.

— Vous n'avez pas des semaines, Mma. Vous n'avez que trois jours. Vous avez dit que vous pourriez m'aider.

— Oui, mais…

Mr. Pulani glissa la main dans sa poche et en tira une feuille de papier pliée en quatre.

— Voici la liste. J'ai noté l'adresse de chaque fille au-dessous de son nom. Elles vivent toutes à Gaborone.

Il posa la feuille sur le bureau, puis saisit un fin portefeuille de cuir dans une autre poche. Lorsqu'il l'ouvrit, Mma Makutsi vit qu'il contenait un carnet de chèques. Il posa celui-ci sur la table et commença à écrire.

— Et voici, Mma, un chèque de deux mille pula, à l'ordre de l'Agence N° 1 des Dames Détectives. Tenez. Je l'ai postdaté. Si vous parvenez à me fournir les renseignements que je vous demande après-demain dernier délai, vous pourrez le présenter à la banque dans trois jours.

Mma Makutsi contempla le chèque en imaginant le sentiment qui l'étreindrait lorsqu'elle annoncerait à Mma Ramotswe : « J'ai fait gagner à l'agence deux mille pula, Mma, déjà payés. » Elle savait que Mma Ramotswe n'avait rien d'une femme cupide, mais qu'elle se souciait de la viabilité financière de l'agence. Des honoraires de ce montant seraient d'un grand secours et représenteraient, songea Mma Makutsi, une façon de récompenser la confiance que Mma Ramotswe lui avait témoignée.

Elle glissa le chèque dans un tiroir et vit Mr. Pulani se détendre.

— Je compte sur vous, Mma, dit-il. Je n'ai entendu que du bien de l'Agence N° 1 des Dames Détectives. J'espère pouvoir vérifier cette bonne réputation par moi-même.

— Je l'espère aussi, Rra, répondit Mma Makutsi.

Toutefois, elle éprouvait déjà de sérieux doutes sur ses chances de réussite. Comment faudrait-il s'y prendre ? La tâche semblait irréalisable.

Elle raccompagna Mr. Pulani à la porte, remarquant pour la première fois qu'il portait des souliers blancs. Elle nota également les gros boutons de manchette en or et la cravate aux reflets soyeux. Je n'aimerais pas avoir un mari comme ça, songea-t-elle. Je serais obligée de passer mon temps dans les instituts de beauté pour être à la hauteur de la perfection qu'à n'en pas douter il attend d'une épouse. Bien sûr, ajouta-t-elle en son for intérieur après réflexion, il existe des femmes que cela ne gênerait pas du tout.

CHAPITRE XIV

Dieu a décidé que le Botswana serait aride

La bonne avait annoncé que le déjeuner serait servi à une heure, ce qui laissait beaucoup de temps à Mma Ramotswe. Elle décida que la meilleure chose à faire était de se familiariser avec les lieux. Elle aimait les fermes – comme la plupart des Batswana, d'ailleurs – car celles-ci lui rappelaient son enfance et les valeurs profondes de son peuple. On partageait la terre avec le bétail, avec les oiseaux, avec toutes ces créatures que l'on ne voyait qu'à condition d'y prêter attention. Sans doute était-il facile d'oublier cela quand on vivait à la ville, où la nourriture venait des magasins et l'eau, du robinet, mais pour beaucoup de gens, les choses ne se passaient pas ainsi.

Après son intéressante conversation avec la servante, elle quitta sa chambre et gagna la sortie. Le soleil était haut dans le ciel, les ombres courtes. À l'est, au-dessus des basses collines qui, dans le lointain, prenaient une teinte bleuâtre sous l'effet des brumes de chaleur, de gros nuages s'étaient formés. Peut-être pleuvrait-il tout à l'heure, si le phénomène se prolongeait. En tout cas, il y aurait au moins de l'eau pour quelqu'un, là-bas, près de la frontière. Il semblait que les pluies seraient bonnes cette année, un bienfait pour lequel on priait tous. Pluies abondantes étaient

183

synonymes d'estomacs pleins, tandis que sécheresse signifiait vaches maigres et faibles récoltes. Plusieurs années auparavant, on avait enduré une très forte sécheresse et le gouvernement, le cœur lourd, avait dû donner l'ordre de commencer à abattre le bétail. C'était la pire chose que l'on puisse demander et la souffrance avait été profonde.

Mma Ramotswe regarda autour d'elle et aperçut un enclos à courte distance. Le bétail s'était rassemblé autour d'un abreuvoir. Un tuyau partait du moulin à vent grinçant et de son réservoir en béton pour alimenter l'abreuvoir et les bêtes assoiffées. Mma Ramotswe décida d'approcher pour observer celles-ci. Après tout, elle était la fille d'Obed Ramotswe, dont beaucoup disaient jadis qu'il était le meilleur œil du Botswana en matière de bétail. Elle savait reconnaître une bonne vache quand elle en voyait une et parfois, lorsqu'elle passait devant un spécimen particulièrement beau, sur la route, elle se demandait ce qu'aurait dit son père. « Bonnes épaules », peut-être. Ou bien : « Ça, c'est une belle vache, regarde-la marcher. » Ou encore : « Ce taureau en jette plein la vue, mais cela m'étonnerait qu'il donne beaucoup de veaux. »

La ferme devait posséder un grand nombre de bêtes, peut-être cinq ou six mille. Pour la plupart des gens, cela représentait une fortune dont on n'osait même pas rêver. Avec dix ou vingt têtes de bétail, on pouvait déjà s'estimer assez riche, et elle-même s'en contenterait bien. Obed Ramotswe avait constitué son troupeau à force d'achats intelligents et de ventes réfléchies, et, à la fin de sa vie, il ne possédait pas moins de deux mille bêtes. C'était avec cet héritage qu'elle avait pu acquérir la maison de Zebra Drive et ouvrir son agence. Il lui était resté un peu de bétail, qu'elle avait résolu de ne pas vendre et dont s'occupaient quelques jeunes gardiens, dans un lointain poste de bétail que sa cousine allait inspecter pour elle de temps à autre. Il devait y avoir une soixantaine de bêtes, toutes belles descendantes des solides taureaux brahmin que son père avait pris tant de soin à sélectionner et à élever. Un jour, elle irait là-bas, à bord du camion à bestiaux, et elle les verrait. Ce serait un grand moment d'émotion, car ces bêtes constituaient un lien très fort avec son Papa, dont elle ressentirait douloureusement l'absence, elle le savait. Sans doute verserait-elle des larmes et ceux qui la verraient se demanderaient pourquoi cette femme pleurait encore un père mort depuis si longtemps.

Il nous reste toujours des larmes à verser, songea-t-elle. Il nous reste des larmes pour ces matins où nous partions de bonne heure voir les vaches avancer d'un pas lent sur les chemins et les oiseaux voler, très haut, dans les courants ascendants.

— À quoi pensez-vous, Mma ?

Elle leva les yeux. Un homme était apparu près d'elle, un fouet à la main, un vieux chapeau sur la tête.

Mma Ramotswe le salua.

— Je pensais à mon père, qui est mort, répondit-elle. Il aurait aimé voir ce bétail. Est-ce vous qui vous en occupez, Rra ? Ce sont des bêtes superbes.

Il sourit, ravi.

— Je m'en occupe tout au long de leur vie. Ce sont un peu mes enfants. J'ai deux cents enfants, Mma. Rien que du bétail.

Mma Ramotswe éclata de rire.

— Vous devez en avoir, du travail !

Il hocha la tête et sortit de sa poche un petit sachet de papier. Il offrit à Mma Ramotswe un morceau de bœuf séché, qu'elle accepta.

— Vous logez à la maison ? s'enquit-il. Il y a toujours des gens qui viennent se reposer ici. Quelquefois, le fils de Gaborone amène ses amis du gouvernement. Je les ai vus de mes yeux. J'ai vu ces gens-là.

— C'est un monsieur très occupé, commenta Mma Ramotswe. Vous le connaissez bien ?

— Oui, fit l'homme en mâchonnant son morceau de bœuf. Souvent, il vient ici nous dire ce qu'on a à faire. Il s'inquiète tout le temps pour le bétail. Il dit que cette bête-ci est malade, que celle-là boite. Et où est passée cette autre ? qu'il demande. C'est tout le temps comme ça. Ensuite, il repart et tout rentre dans l'ordre.

Mma Ramotswe fronça les sourcils d'un air compatissant.

— Cela ne doit pas être facile pour son frère, n'est-ce pas ?

L'homme eut un haussement d'épaules défaitiste.

— Son frère reste là comme un chien et le laisse crier. Lui, c'est un bon fermier, mais l'aîné croit toujours que c'est lui qui gère la ferme. Seulement, nous, on sait que le père a parlé au chef et qu'ils ont convenu que le bétail reviendrait au plus jeune et que l'autre aurait l'argent. C'est ça qui a été décidé.

— Mais cela ne plaît pas beaucoup à l'aîné ?

— Non, répondit l'éleveur. Et je le comprends… Mais il a bien réussi à Gaborone et il a une autre vie. Le plus jeune, c'est un vrai fermier. Il s'y connaît en bétail.

— Et le troisième ? interrogea Mma Ramotswe. Celui qui est là-bas ?

Du doigt, elle désigna le Kalahari.

L'homme se mit à rire.

— Oh, lui, c'est un gamin ! C'est très triste. Il paraît qu'il n'y a que de l'air dans sa tête. C'est ce qu'on dit, en tout cas. C'est à cause de ce qu'a fait sa mère quand il était dans son ventre. C'est comme ça que les choses se passent.

— Ah bon ? s'étonna Mma Ramotswe. Et qu'est-ce qu'elle a fait ?

Elle connaissait cette croyance, répandue dans le pays, selon laquelle un enfant handicapé était la conséquence de la mauvaise conduite des parents. Qu'une femme ait une liaison avec un autre homme, par exemple, pouvait provoquer la naissance d'un simple d'esprit. Qu'un homme rejette son épouse pour aller avec une autre pendant la grossesse faisait courir également un risque terrible pour le bébé.

L'éleveur baissa la voix. Mais qui pouvait les entendre, se demanda Mma Ramotswe, en dehors du bétail et des oiseaux ?

— C'est elle qu'il faut surveiller, souffla-t-il. C'est elle. La vieille. C'est une mauvaise femme.

— Une mauvaise femme ?

Il hocha la tête.

— Surveillez-la, je vous dis. Surveillez ses yeux.

La servante vint frapper à sa porte peu avant une heure pour annoncer que le repas était servi.

— Ils mangent sous le porche, expliqua-t-elle en désignant l'autre extrémité de la maison. Là-bas.

Mma Ramotswe la remercia et quitta sa chambre. Le porche se trouvait sur le côté le plus frais de la bâtisse, ombragé par un vélum de toile et une profusion de plantes grimpantes qui tapissaient un treillis de bois brut. Deux tables avaient été dressées côte à côte, recouvertes d'une nappe blanche amidonnée. À une extrémité, on avait disposé en cercle plusieurs plats : du potiron fumant, un bol de maïs, une assiette de haricots et autres légumes, ainsi qu'une grande soupière de ragoût. Il y avait aussi une miche de pain et une motte de beurre. C'était des mets appétissants et seule une famille aisée pouvait s'offrir quotidiennement un tel repas.

Mma Ramotswe reconnut d'abord la vieille femme, assise un peu en retrait de la table, une serviette sur les genoux. Toutefois, d'autres membres de la famille étaient également présents : un garçon d'une douzaine d'années, une jeune femme élégante, vêtue d'une jupe verte et d'un chemisier blanc – l'épouse, supposa Mma Ramotswe –, et un homme installé près d'elle, portant un pantalon et une chemisette kaki. Ce dernier se leva à l'arrivée de Mma Ramotswe et vint la saluer.

— Vous êtes notre invitée, affirma-t-il en souriant. Soyez la bienvenue dans cette maison, Mma.

La vieille femme lui adressa un signe de tête.

— C'est mon fils, dit-elle. Il était avec le bétail ce matin, quand vous êtes arrivée.

L'homme lui présenta son épouse, qui sourit avec amabilité.

— Il fait très chaud aujourd'hui, Mma, déclara-t-elle. Mais il ne va pas tarder à pleuvoir, je pense. C'est vous qui nous avez apporté cette pluie, j'en suis sûre.

C'était un compliment et Mma Ramotswe le reçut comme il se devait.

— Je l'espère, répondit-elle. La terre a encore soif.

— La terre a toujours soif, renchérit l'homme. Dieu a décidé que le Botswana serait un pays sec pour animaux secs. C'est ce qu'il a décidé.

Mma Ramotswe prit place entre l'épouse et la mère. Tandis que la première commençait à servir le repas, le fils remplissait les verres d'eau fraîche.

— Je vous ai vue regarder le bétail, lança la vieille femme. Aimez-vous le bétail, Mma ?

— Quel Motswana n'aime pas le bétail ? répondit Mma Ramotswe.

— Peut-être y en a-t-il, fit la vieille femme. Peut-être y a-t-il des gens qui ne comprennent pas les bêtes. Je ne sais pas.

Elle s'était détournée pour prononcer ces mots et elle contemplait à présent le paysage du bush qui s'étendait jusqu'à l'horizon.

— On m'a dit que vous étiez originaire de Mochudi, lança la jeune épouse tout en servant Mma Ramotswe. Moi aussi, je suis de là-bas.

— J'ai quitté cette ville depuis assez longtemps, fit remarquer Mma Ramotswe. Maintenant, j'habite Gaborone. Comme beaucoup de gens.

— Comme mon frère, intervint le mari. Vous devez bien le connaître s'il vous a envoyée ici.

Il y eut un silence. La vieille femme fixa son fils, qui évita son regard.

— À vrai dire, je ne le connais pas très bien, avoua Mma Ramotswe, mais il m'a invitée dans cette maison pour m'accorder une faveur. Je l'ai aidé.

— Vous êtes la bienvenue, s'empressa d'affirmer la vieille femme. Vous êtes notre invitée.

Cette dernière remarque s'adressait au fils qui, occupé à manger, affecta de n'avoir rien remarqué. L'épouse, en revanche, avait rencontré le regard de Mma Ramotswe au moment où l'échange avait eu lieu, et elle s'était vivement détournée.

On déjeuna en silence. La vieille femme avait posé son assiette sur ses genoux et elle s'appliquait à creuser une pile de maïs noyé dans la sauce du ragoût. Elle plaçait la mixture dans sa bouche et la mâchonnait lentement, ses yeux chassieux plongés dans la contemplation du bush et du ciel. Pour sa part, l'épouse ne s'était servi que des haricots et du potiron, qu'elle grignotait sans appétit. En baissant les yeux sur sa propre assiette, Mma Ramotswe remarqua qu'elle-même et le mari étaient les seuls à manger de la viande. L'enfant, qui lui avait été présenté comme un cousin de l'épouse, dégustait une épaisse tranche de pain imbibé de mélasse et de sauce de viande.

Mma Ramotswe planta sa fourchette dans la viande nichée entre une large portion de potiron et un petit tas de maïs. Le ragoût était épais et visqueux et, lorsqu'elle porta la fourchette à sa bouche, un fil gluant, d'une substance semblable à la glycérine, s'étira. La saveur lui parut pourtant normale, ou presque normale. Il y avait juste un léger arrière-goût, remarqua-t-elle, un arrière-goût qu'elle aurait pu qualifier de métallique et qui lui rappela les pilules de fer que son médecin lui avait un jour prescrites, en plus amer peut-être, un peu comme un pépin de citron coupé en deux.

Elle regarda l'épouse, qui lui sourit.

— Ce n'est pas moi qui cuisine, expliqua la jeune femme. Si vous trouvez ça bon, je n'y suis pour rien. C'est Samuel. C'est un très bon cuisinier et nous sommes fiers de lui. C'est un vrai chef.

— Moi, je trouve que c'est un travail de femme, intervint le mari. C'est pourquoi vous ne me verrez jamais à la cuisine. Un homme doit faire autre chose que préparer à manger.

Il fixait Mma Ramotswe en parlant et cette dernière perçut le défi que renfermait la remarque.

Elle prit quelques secondes pour répondre.

— Beaucoup de gens partagent votre avis, Rra, déclara-t-elle enfin. En tout cas, beaucoup d'hommes. Mais je ne suis pas sûre que les femmes soient très nombreuses à parler comme vous.

Le mari reposa sa fourchette.

— Vous n'avez qu'à demander à mon épouse, suggéra-t-il avec calme. Demandez-lui ce qu'elle en pense. Allez-y.

L'intéressée n'hésita pas.

— Mon mari a raison, confirma-t-elle.

La vieille femme se tourna vers Mma Ramotswe.

— Vous voyez ? dit-elle. Elle soutient son époux. C'est ainsi que les choses se passent ici, à la campagne. En ville, c'est sûrement différent. Mais à la campagne, c'est comme ça.

Après le repas, elle retourna dans sa chambre et s'allongea. La chaleur restait lourde malgré les nuages qui continuaient à s'amonceler à l'est. Il ne faisait plus de doute que la pluie tomberait, même si ce n'était pas avant la nuit. Le vent se lèverait bientôt, et avec lui viendrait cette merveilleuse odeur de pluie qui ne trompait pas, ce parfum de poussière et d'eau mêlées qui frappait les narines quelques secondes, puis disparaissait, et que l'on regrettait ensuite, parfois des mois durant, jusqu'à la fois suivante, lorsqu'il vous saisissait et vous poussait à vous arrêter pour dire à la première personne rencontrée, quelle qu'elle fût : « Vous sentez l'odeur de la pluie, là, maintenant ? »

Étendue sur le lit, elle fixa les lattes blanches du plafond. Astiquées avec soin, elles étaient la preuve d'un ménage bien fait. Dans la plupart des maisons, le plafond portait des traces de mouches et, sur les côtés, les traînées sombres dues à l'œuvre des termites. Parfois, on voyait même de grosses araignées s'activer sur ce qu'elles devaient prendre pour des toundras blanches renversées. Mais ici, il n'y avait rien de tel et la peinture était impeccable.

Mma Ramotswe s'interrogea. Tout ce qu'elle avait appris aujourd'hui, c'était que les domestiques possédaient chacun leur opinion, mais que tous détestaient l'Homme d'État. Celui-ci se souciait de la bonne marche de la ferme, semblait-il, et pouvait-on l'en blâmer ? Il était normal de la part d'un aîné d'avoir un avis sur la façon d'élever les bêtes, et de partager cet avis avec son jeune frère. Bien sûr, la vieille femme estimait que son fils handicapé était intelligent ; et, bien sûr, elle reprochait aux gens de la ville de perdre tout intérêt pour le bétail. Mma Ramotswe s'aperçut qu'en fait elle savait fort peu de choses sur cette femme. L'homme responsable de l'élevage la trouvait mauvaise, mais il n'avait donné aucune explication à l'appui de cette piètre opinion. Il avait conseillé à Mma Ramotswe de surveiller ses yeux, ce qu'elle avait fait, mais sans résultat. Elle avait seulement remarqué que la vieille femme fixait le lointain, alors que toute la famille se trouvait réunie autour de la table du repas. Cela signifiait-il quelque chose ?

Mma Ramotswe se redressa. Il y avait des enseignements à tirer de cette attitude, pensa-t-elle. Quand un individu regardait ailleurs, cela indiquait qu'il n'avait pas envie d'être là. Et quand on n'avait pas envie d'être quelque part, c'était généralement que l'on n'aimait pas les personnes présentes. Il s'agissait là d'une évidence indéniable. Donc, si cette vieille femme détournait le regard, cela prouvait qu'il y avait à table une personne qui ne lui plaisait pas. Ce n'est pas moi, songea Mma Ramotswe, parce que je n'ai rien ressenti de tel lorsque nous avons bavardé ce matin et qu'elle n'a pas eu de raisons, depuis, de me prendre en grippe. L'enfant, de son côté, pouvait difficilement susciter ce genre de réaction, d'autant qu'elle l'avait traité avec affection, lui tapotant la tête à une ou deux reprises au cours du repas. Restaient le fils et la bru.

Aucune mère ne déteste son fils. Certaines pouvaient avoir honte d'un fils, Mma Ramotswe le savait, d'autres être fâchées contre lui. Toutefois, aucune n'éprouvait de véritable aversion envers sa progéniture. Un fils pouvait faire n'importe quoi, sa mère le lui pardonnait. Donc, c'était la bru que la vieille femme détestait, et elle la détestait avec assez d'intensité pour souhaiter être ailleurs quand elle se trouvait en sa compagnie.

Une fois passée la première excitation suscitée par cette conclusion, Mma Ramotswe se rallongea. À présent, il fallait déterminer les raisons de cette antipathie, savoir si celle-ci provenait simplement de la conversation qu'elle avait eue avec son autre fils, l'Homme d'État, sur les soupçons que tous deux nourrissaient. Mais, plus important encore, il fallait découvrir si la bru savait que sa belle-mère l'avait prise en grippe. En ce cas, cela fournissait un mobile, mais s'il s'agissait vraiment d'une empoisonneuse – et elle n'en avait pas l'air, d'autant qu'il fallait aussi tenir compte de l'avis de la servante – il était plus logique qu'elle s'en prît à la vieille femme plutôt qu'à son mari.

Mma Ramotswe sentit la fatigue l'envahir. Elle avait mal dormi la nuit précédente et le trajet, ajouté à la chaleur et au repas très lourd, commençait à produire son effet. Le ragoût était trop riche. Riche et visqueux, avec ces traînées gluantes. Elle ferma les yeux, mais ne vit pas l'obscurité. Au contraire, elle se trouva baignée dans une atmosphère blanchâtre et distingua une faible ligne lumineuse qui semblait traverser sa vision intérieure. Le lit se mit à remuer légèrement, comme si le vent avait commencé à souffler de la frontière, au loin. L'odeur de la pluie lui parvint, suivie de gouttes chaudes, pressées, qui punissaient la terre, la transperçaient, puis rebondissaient tels de minuscules vers grisâtres.

Mma Ramotswe sombra dans le sommeil, mais sa respiration demeura superficielle et des rêves l'agitèrent. Lorsqu'elle s'éveilla et sentit la douleur dans son ventre, il était près de cinq heures. L'orage était passé, mais la pluie battait toujours le toit métallique comme une troupe de tambours insistants. Elle se redressa, pour se rallonger aussitôt, en proie à la nausée. Alors elle se retourna dans le lit et posa les pieds au sol. Quand elle parvint enfin à se lever, chancelante, elle se dirigea à grand-peine vers la salle de bains située au bout du couloir. Là, elle vomit et se sentit mieux. Lorsqu'elle fut de retour dans sa chambre, le gros de la nausée était passé et elle put réfléchir à la situation. Elle était venue dans la maison d'une empoisonneuse et en avait été elle-même victime. Il n'y avait rien de surprenant à cela. Au contraire, un tel incident était totalement et hautement prévisible.

CHAPITRE XV

Qu'aimeriez-vous faire de votre vie ?

Mma Makutsi ne disposait que de trois jours. C'était bien peu de temps, et elle se demandait si elle avait la moindre chance d'en découvrir suffisamment sur chacune des quatre finalistes pour pouvoir conseiller Mr. Pulani. Elle examina la liste dactylographiée que ce dernier lui avait fournie, mais ni les noms ni les adresses qui les suivaient ne lui apprirent grand-chose. Elle savait que certaines personnes affirmaient pouvoir juger les gens d'après leur nom, qu'une fille appelée Marie était forcément honnête et maternelle, que l'on ne pouvait se fier à une Sipho, etc. Toutefois, cette théorie était absurde et bien moins efficace que celle qui se basait sur la forme du crâne. Mma Ramotswe lui avait montré un jour un article sur le sujet et Mma Makutsi avait ri avec elle. Toutefois, cette théorie – bien que plutôt archaïque pour la femme moderne qu'elle était – l'avait intriguée et elle avait aussitôt mené de discrètes recherches. Toujours efficace, la bibliothécaire du British Council n'avait mis que quelques minutes à lui trouver un livre qu'elle s'était empressée de lui proposer. *Théories sur le crime* était un ouvrage considérablement plus scientifique que la bible professionnelle de Mma Ramotswe, *Les Principes de l'investigation privée*, de

Clovis Andersen. Ce dernier manuel était parfait pour ce qui concernait les relations avec les clients, mais la partie théorique laissait à désirer. Pour Mma Makutsi, il était clair que Clovis Andersen n'avait jamais lu le *Journal de criminologie*, tandis que l'auteur des *Théories sur le crime* était un familier des débats que cette revue publiait au sujet des origines du crime. La société était un des coupables possibles, lut Mma Makutsi. Les logements insalubres et l'absence d'avenir transformaient les jeunes en criminels, et il ne fallait pas oublier, soulignait l'ouvrage, que les gens à qui l'on avait fait du mal en infligeaient à leur tour.

Étonnée, Mma Makutsi interrompit sa lecture. Cette dernière affirmation était tout à fait correcte, songea-t-elle, mais elle n'y avait jamais pensé en ces termes. Bien sûr que ceux qui faisaient du mal avaient été des victimes eux aussi ! Cela concordait avec sa propre expérience. Lorsqu'elle était en CE2 à Bobonong, bien des années auparavant, il y avait dans son école un garçon qui brutalisait les plus petits et se réjouissait de leur terreur. Elle n'avait tout d'abord pas compris ce qui le poussait à agir ainsi – peut-être était-ce pure méchanceté – mais plus tard, elle était passée devant chez lui un soir et avait vu son père, complètement ivre, le battre comme plâtre. Le garçon gigotait et criait, mais ne pouvait se dérober aux coups. Le lendemain, sur le chemin de l'école, elle avait assisté à une nouvelle agression : le garçon s'en était pris à un petit, qu'il avait frappé et poussé dans un buisson de ronces aux épines cruelles. Bien sûr, elle était trop jeune alors pour établir un lien de cause à effet, mais à présent que l'épisode lui revenait, il l'éclairait sur la sagesse contenue dans ce passage des *Théories sur le crime*.

Seule dans le bureau de l'Agence N° 1 des Dames Détectives, elle dut s'accorder plusieurs heures de lecture avant de trouver ce qu'elle recherchait. Le chapitre sur les explications biologiques du crime était plus court que les autres, essentiellement parce que l'auteur n'y semblait pas du tout à l'aise.

« Bien que libéral dans sa conception de la réforme des prisons, lut-elle, Cesare Lombroso, criminologue italien du XIXᵉ siècle, était convaincu que les pulsions criminelles d'un individu pouvaient être détectées d'après la forme de sa tête. Ainsi consacra-t-il une grande partie de son énergie à recenser les différentes physionomies de criminels, dans une tentative erronée d'identifier les traits et la morphologie crânienne significatifs de la criminalité. Les pittoresques illustrations reproduites ci-dessous attestent cet enthousiasme déplacé que l'auteur aurait si aisément pu diriger vers des axes de recherche plus fructueux. »

Mma Makutsi se pencha sur les illustrations extraites de l'ouvrage de Lombroso. Un homme d'aspect patibulaire, au front étroit et au regard brûlant de colère, fixait le lecteur. Au-dessous figurait une légende : *Assassin caractéristique (type sicilien).* Puis venait le portrait d'un individu arborant une grosse moustache, avec de tout petits yeux rapprochés. Il s'agissait là, lut-elle, du *Voleur classique (type napolitain).* Plusieurs autres « types » de délinquants dévisageaient ainsi le lecteur, affichant tous une malveillance qui ne laissait pas place à la moindre ambiguïté. Mma Makutsi frissonna. Tous ces hommes paraissaient extrêmement désagréables et nul ne se serait jamais risqué à leur faire confiance. Pourquoi, dans ces conditions, qualifier la théorie de Lombroso d'erronée ? Non seulement un tel jugement manquait de courtoisie, songea-t-elle, mais il se révélait faux. C'était Lombroso qui avait raison : on pouvait deviner ce que valait une personne (c'était une chose que les femmes savaient depuis bien longtemps, d'ailleurs : elles devinaient ce que valait un homme rien qu'en le regardant, et elles n'avaient pas besoin d'être italiennes pour cela. Elles le faisaient ici, au Botswana).

Mma Makutsi demeura perplexe. Si la théorie était si clairement exacte, pourquoi l'auteur de cette étude criminologique la contestait-il ? Elle réfléchit un moment, puis l'explication s'imposa à son esprit : il était jaloux ! Voilà quelle était la véritable raison ! Il était jaloux que Lombroso ait pensé à cela avant lui. Or, il tenait à développer des conceptions personnelles et originales sur la criminalité. Eh bien ! Si tel était le cas, il était inutile de s'embêter davantage avec les *Théories sur le crime*. Elle avait appris quelque chose sur cette méthode de criminologie, restait à le mettre en pratique. Elle exploiterait les théories de Lombroso pour détecter laquelle des quatre filles de la liste était la plus digne de confiance. Les illustrations de Lombroso n'avaient fait que confirmer qu'elle pouvait se fier à son intuition. Un bref tête-à-tête avec chaque fille et peut-être une discrète inspection des crânes – qu'il ne faudrait pas examiner avec trop d'insistance – suffiraient à lui apporter la réponse. Il le fallait, de toute façon. Elle ne pouvait rien faire d'autre dans le très court laps de temps disponible et elle tenait absolument à résoudre l'affaire de manière satisfaisante avant le retour de Mma Ramotswe.

Quatre noms, dont aucun ne lui était connu : Motlamedi Matluli, Gladys Tlhapi, Makita Phenyonini et Patricia Quatleneni. Au-dessous de chacun, l'âge et l'adresse de la jeune fille. Motlamedi était la plus jeune, dix-neuf ans, et la plus accessible, puisqu'elle était interne à l'université. Patricia, la plus âgée, avait vingt-quatre ans et serait sans doute la plus difficile à contacter, avec une vague adresse à Tlokweng (lotissement 2456). Mma Makutsi décida donc de commencer par Motlamedi, qu'elle n'aurait aucune peine à trouver sur le campus bien ordonné. Bien sûr, rien ne disait qu'il serait facile de l'interroger. Mma Makutsi savait que les filles comme elle, qui avaient leur place à l'université et l'assurance de trouver un emploi de choix à la sortie, avaient tendance à regarder de haut ceux qui n'avaient pas eu la même chance, et en particulier les anciennes élèves de l'Institut de secrétariat du Botswana. Sa note de 97 sur 100 à l'examen final, résultat d'un travail acharné, ne pourrait susciter que moquerie de la part de cette Motlamedi. Toutefois, elle irait lui parler et traiterait toute condescendance avec dignité. Elle n'avait aucune raison d'avoir honte : elle était désormais directrice par intérim d'un garage et assistante-détective. Quels titres officiels possédait cette fille, aussi jolie fût-elle ? Elle ne portait même pas le titre de Miss Beauté et Intégrité, même si elle se trouvait parmi les finalistes susceptibles d'accéder à cet insigne honneur.

Elle la rencontrerait donc. Mais que lui dirait-elle ? Elle se voyait mal chercher cette fille, puis lui dire : « Excusez-moi, mademoiselle, je suis venue étudier la forme de votre crâne. » Une telle entrée en matière donnerait lieu à une réponse hostile, même si elle avait le mérite de la franchise. Alors, l'idée lui vint. Elle pourrait se présenter comme une enquêtrice chargée d'un sondage ; pendant que les filles répondraient, elle aurait tout le loisir d'observer leur tête et leurs traits, en vue d'y déceler d'éventuels signes plus ou moins éloquents de malhonnêteté. Peu à peu, cette idée géniale se précisa. Le sondage ne devrait pas concerner une quelconque étude de marketing semblable à celles auxquelles les gens avaient l'habitude de répondre. Non, ce serait une étude sur les conceptions morales. Cela permettrait de poser certaines questions qui, de façon très subtile, en diraient long sur l'état d'esprit des jeunes filles. Les questions devraient être formulées avec soin, afin que nulle ne soupçonne le piège, mais elles amèneraient les sondées à se démasquer. *Qu'aimeriez-vous faire de votre vie ?* par exemple. Ou encore *Vaut-il mieux gagner beaucoup d'argent ou aider les autres ?*

Les idées se mettaient en place dans l'esprit de Mma Makutsi et elle souriait avec délectation chaque fois qu'émergeait une nouvelle possibilité. Elle se présenterait comme une journaliste envoyée par le *Botswana Daily News* pour rédiger un article de fond sur le concours – de petits mensonges étaient permis, avait écrit Clovis Andersen, dans la mesure où la fin justifiait les moyens. Eh bien, dans son cas, la fin était de la plus haute importance, puisque la réputation même du Botswana se trouvait dans la balance. La gagnante du concours de Miss Beauté et Intégrité compterait sans doute, ensuite, parmi les sélectionnées pour le titre de Miss Botswana, un poste au moins aussi important que celui d'ambassadeur du Botswana. Mais oui, une reine de beauté était une sorte d'ambassadrice de son pays et les gens jugeaient ce dernier d'après le comportement de sa représentante. Si Mma Makutsi devait en passer par un petit mensonge pour empêcher une mauvaise fille de se saisir du titre et de jeter l'opprobre sur le pays, ce ne serait qu'un faible prix à payer. Clovis Andersen l'aurait incontestablement soutenue dans ce sens, même si, en revanche, l'auteur des *Théories sur le crime*, avec son discours hautement moralisateur, aurait pu émettre certaines réserves déplacées.

Mma Makutsi commença à dactylographier l'interrogatoire. Les questions étaient simples, mais pénétrantes.

1. *Quelles grandes valeurs l'Afrique peut-elle enseigner au reste du monde ?*

Cette question était conçue pour déterminer si les candidates comprenaient l'importance de la morale. Une fille consciente des vraies valeurs répondrait quelque chose comme : *L'Afrique peut montrer au monde ce qu'être « humain » veut dire. L'Afrique reconnaît l'humanité de chaque être.*

Une fois cette première question négociée ou, plutôt, *si* elle était négociée, la suivante serait plus personnelle :

2. *Qu'aimeriez-vous faire de votre vie ?*

C'était avec cette question que Mma Makutsi entendait piéger les filles de mauvaise foi. La réponse classique donnée par toute candidate à un concours de beauté était : *J'aimerais travailler pour des bonnes œuvres, peut-être avec des enfants. J'aimerais rendre le monde meilleur qu'il n'était quand je suis arrivée sur terre.*

Tout cela était bien joli, mais les filles avaient toutes appris cette réponse dans un livre quelconque, un livre peut-être écrit par une personne comme Clovis Andersen. *Manuel pratique à l'usage des reines de beauté*, par exemple, ou *Comment remporter un concours de beauté.*

Une fille sincère, pensa Mma Makutsi, formulerait sans doute sa réponse de la façon suivante : *Je voudrais me dévouer pour de bonnes œuvres, peut-être avec des enfants. S'il n'y a pas d'enfants disponibles, je serais heureuse de m'occuper de vieillards. Cela ne me dérange pas. Mais je souhaite aussi trouver un travail intéressant qui me fasse gagner un bon salaire.*

3. *Vaut-il mieux être belle ou intègre ?*

Là encore, on devinait aisément la réponse attendue d'une candidate à un concours de beauté : l'intégrité était plus importante. Toutes les filles sentiraient qu'il fallait dire cela, mais il existait une vague possibilité que la franchise en pousse une à reconnaître qu'être belle possédait ses avantages. C'était une vérité que Mma Makutsi avait constatée au moment où elle recherchait un emploi : les jolies filles obtenaient tous les postes et il restait bien peu de places pour les autres, même pour celles qui avaient obtenu non moins de 97 sur 100 à l'examen final. Cette injustice lui était restée sur le cœur , même si, dans son cas, le travail acharné qu'elle avait fourni pour réussir avait porté ses fruits. Combien, parmi les filles qui avaient un plus joli teint que le sien dans sa promotion, exerçaient aujourd'hui comme directrices par intérim ? La réponse était indubitablement : aucune. Ces filles superbes avaient épousé des hommes riches et vivaient dans le confort, mais elles pouvaient difficilement se vanter d'avoir fait carrière… À moins que porter des vêtements onéreux et assister à des soirées chics puisse être considéré comme une carrière.

Mma Makutsi dactylographia le questionnaire. Il n'y avait pas de photocopieuse à l'agence, mais grâce au papier carbone qu'elle avait utilisé, elle tenait à présent quatre exemplaires, avec l'en-tête *Service d'études de fond du « Botswana Daily News »* imprimé en haut de page. Elle consulta sa montre. Il était midi et la chaleur devenait inconfortable. On avait eu de la pluie quelques jours auparavant, mais la terre l'avait vite absorbée et le sol en réclamait encore. Si elle revenait, comme ce serait sans doute le cas, les températures chuteraient et les gens se sentiraient de nouveau bien. Les esprits avaient tendance à s'échauffer à mesure que le mercure grimpait et des bagarres éclataient pour des motifs insignifiants. La pluie ramenait la paix entre les hommes.

Elle sortit de l'agence et referma la porte derrière elle. Les apprentis s'affairaient autour d'une vieille fourgonnette appartenant à une femme qui faisait la navette entre Lobatse et Gaborone pour livrer des légumes aux supermarchés. Une amie lui avait parlé du garage, affirmant que c'était un bon endroit pour faire réparer sa voiture quand on était une femme.

— C'est un garage pour les femmes, je crois, avait dit l'amie. Ils nous comprennent et s'occupent très bien de nous. C'est le meilleur endroit où une femme puisse confier sa voiture.

Cette nouvelle réputation de garagistes pour dames tenait les apprentis très occupés. Sous la direction de Mma Makutsi, ils relevaient le défi, restant tard au garage et s'appliquant davantage. Elle vérifiait leur travail de temps en temps et insistait pour se faire expliquer les réparations qu'ils étaient en train d'effectuer. Ils appréciaient cette attention, qui les aidait aussi à concentrer leur pensée sur le problème à régler. Leur diagnostic – arme si importante dans la panoplie du parfait garagiste – s'était nettement amélioré et ils perdaient désormais moins de temps en bavardages oisifs sur les filles.

— Cela nous plaît de travailler pour une femme, lui avait dit un matin le plus âgé des apprentis. C'est super d'avoir une femme qui vous regarde tout le temps.

— Tant mieux, avait répondu Mma Makutsi. Ton travail s'améliore à vue d'œil. Un jour, tu deviendras peut-être un mécanicien célèbre, comme Mr. J.L.B. Matekoni. C'est possible...

Elle se dirigea vers les apprentis et les regarda manipuler un filtre à huile.

— Quand vous en aurez fini, dit-elle, j'aimerais que l'un de vous me conduise à l'université.

— Mais on a beaucoup de travail, Mma ! protesta le plus jeune. Il nous reste encore deux voitures à voir aujourd'hui. On ne peut pas aller tout le temps à droite, à gauche ! On n'est pas des chauffeurs de taxi...

Mma Makutsi soupira.

— Dans ce cas, il va falloir que je prenne un taxi. Je dois m'occuper d'une importante affaire de concours de beauté. Il faut que je parle à quelques-unes des candidates.

— Moi, je peux vous emmener, intervint précipi-tamment l'autre apprenti. Je suis presque prêt. Mon frère pourra terminer ça tout seul...

— Parfait, fit Mma Makutsi. Je savais que je pouvais compter sur votre bonne nature.

Ils se garèrent sous un arbre du campus, non loin du vaste bloc de béton blanc désigné par le gardien de la grille d'entrée lorsque Mma Makutsi lui avait montré l'adresse. Un petit groupe d'étudiantes bavardaient sous un auvent qui ombrageait l'entrée principale du bâtiment à trois étages. Laissant l'apprenti dans la camionnette, Mma Makutsi se dirigea vers le groupe et se présenta.

— Je cherche Motlamedi Matluli, expliqua-t-elle. On m'a dit qu'elle habitait ici.

L'une des étudiantes s'esclaffa.

— Oui, elle habite ici, répondit-elle. Quoiqu'à mon avis elle préférerait un endroit plus chic.

204

— L'*Hôtel du Soleil*, par exemple, renchérit une autre, provoquant un éclat de rire général.

Mma Makutsi sourit.

— C'est une fille importante, c'est ça ?

La question déclencha de nouveaux rires.

— En tout cas, elle, elle en est sûre ! s'exclama l'une des filles. Comme tous les garçons lui courent après, elle se prend pour la reine de Gaborone. Il faut la voir !

— Justement, c'est pour cela que je suis ici, répondit Mma Makutsi. J'ai besoin de lui parler.

— Vous la trouverez devant son miroir, affirma une étudiante. Au premier étage, chambre 114.

Mma Makutsi les remercia et s'engagea dans l'escalier de béton brut qui menait au premier étage. Sur le mur figurait une inscription peu amène, une remarque sur une fille de l'université. L'un des étudiants avait sans doute été repoussé et, pour se défouler, il avait déversé sa mauvaise humeur sous forme de graffitis. Mma Makutsi en fut contrariée : ces jeunes étaient privilégiés – au Botswana, les gens ordinaires n'avaient pas la chance de recevoir une telle éducation, payée par le gouvernement jusqu'au dernier pula et au dernier thebe – et tout ce qu'ils trouvaient à faire, c'était d'écrire sur les murs. Et que dire de Motlamedi, qui passait apparemment son temps à se pomponner et à participer à des concours de beauté, alors qu'elle aurait dû rester penchée sur ses livres d'étudiante ? Si j'étais recteur de l'université, songea Mma Makutsi, je demanderais aux gens comme elle de se décider. On ne peut pas faire deux choses à la fois. On ne peut pas cultiver son esprit et travailler ses coiffures. Il faut choisir.

Elle trouva la chambre 114 et frappa à la porte. Les sons d'une radio lui parvenaient de l'intérieur, aussi frappa-t-elle de nouveau, plus fort cette fois.

— Ça va, ça va ! cria une voix à l'intérieur. J'arrive !

La porte s'ouvrit et Motlamedi Matluli apparut. La première chose qui saisit Mma Makutsi en la découvrant fut le regard de la jeune fille. Ses yeux extraordinairement grands dominaient son visage, auquel ils conféraient une innocence et une douceur étonnantes, un peu comme chez ces petites créatures de la nuit que l'on appelait galagos.

Motlamedi détailla la visiteuse de la tête aux pieds.

— Oui ? s'enquit-elle d'un ton désinvolte. Qu'est-ce que je peux faire pour vous ?

L'entrée en matière manquait singulièrement de courtoisie et Mma Makutsi en fut piquée au vif. Si cette fille avait eu des manières, pensa-t-elle, elle m'aurait tout de suite invitée à entrer. Elle est trop occupée par son miroir qui, comme l'avaient prédit les étudiantes rencontrées en bas, trônait au milieu de la table de travail, entouré de crèmes et de lotions.

— Je suis journaliste, déclara Mma Makutsi. J'écris un article sur les finalistes du concours de Miss Beauté et Intégrité. J'ai là quelques questions auxquelles j'aimerais que vous répondiez.

À ces mots, l'attitude de Motlamedi changea du tout au tout. Très vite, et avec effusion, la jeune fille convia Mma Makutsi à entrer et dégagea quelques vêtements jetés sur une chaise pour la faire asseoir.

— Il n'y a pas toujours autant de désordre, expliqua-t-elle en riant, avant de désigner les piles de vêtements entassés çà et là. Mais je suis en plein rangement, je trie mes affaires, vous savez ce que c'est…

Mma Makutsi hocha la tête. Elle sortit le questionnaire de son cartable et le tendit à la jeune fille, qui l'examina, puis sourit.

— Ces questions sont très faciles, dit-elle. J'en ai déjà vu des comme ça.

— Pourriez-vous y répondre par écrit ? demanda Mma Makutsi. Ensuite, j'aimerais discuter avec vous un petit moment, avant de vous laisser à vos études.

Elle avait prononcé ces derniers mots en regardant autour d'elle : la chambre – du moins, ce qu'elle en voyait – ne contenait pas le moindre livre.

— Oui, répondit Motlamedi en se penchant sur la feuille. Nous autres étudiants sommes très pris par nos études.

Pendant que la jeune fille écrivait, Mma Makutsi jeta de discrets coups d'œil à sa tête. Malheureusement, le style de coiffure adopté par la finaliste était tel qu'il lui fut impossible de discerner la forme du crâne. Lombroso lui-même, pensa-t-elle, aurait éprouvé les plus grandes difficultés à se faire une opinion sur cette personne. Mais à vrai dire, cela n'avait guère d'importance. Tout ce qu'elle avait vu de son interlocutrice, de son impolitesse à la porte à son expression proche du dédain (dissimulée dès l'instant où Mma Makutsi s'était déclarée journaliste), lui disait qu'elle représenterait un mauvais choix pour le poste de Miss Beauté et Intégrité. Certes, elle ne serait sans doute jamais accusée de vol, mais il existait d'autres façons d'attirer la disgrâce sur le concours et sur Mr. Pulani. La plus probable, pour cette jeune femme, serait de se trouver mêlée à un scandale impliquant un homme marié. Les filles de ce genre n'avaient aucun respect pour l'institution matrimoniale et l'on pouvait s'attendre à les voir solliciter tout homme susceptible de les faire progresser dans leur carrière, qu'il eût une épouse ou non. Quel exemple cela serait-il pour le Botswana ? se demanda Mma Makutsi. Cette seule pensée la mit en colère et elle se surprit à secouer la tête.

Motlamedi releva les yeux.

— Pourquoi secouez-vous la tête, Mma ? interrogea-t-elle. Ça ne va pas, ce que j'ai marqué ?

— Si, si… s'empressa de répondre Mma Makutsi. Il faut écrire la vérité. C'est la seule chose qui m'intéresse.

Motlamedi sourit.

— Je dis toujours la vérité, affirma-t-elle. Je dis la vérité depuis que je suis toute petite. Je ne supporte pas les gens qui mentent.

— Ah bon ?

Elle reposa son stylo et tendit la feuille à Mma Makutsi.

— J'espère que je n'en ai pas trop écrit, dit-elle. Je sais que les journalistes sont toujours débordés de travail.

Mma Makutsi saisit le questionnaire et parcourut les réponses des yeux.

Question 1 : L'Afrique possède une très longue histoire, même si de nombreuses personnes n'y prêtent pas la moindre attention. L'Afrique peut enseigner au monde les façons d'aider son prochain. Il existe également d'autres choses que l'Afrique peut apporter au monde.

Question 2 : Travailler pour aider les autres est ma plus grande ambition. J'attends avec impatience le jour où je pourrai aider davantage de gens. C'est l'une des raisons pour lesquelles je mérite de remporter le titre : je suis une jeune fille qui aime aider les autres. Je ne suis pas égoïste, comme beaucoup.

Question 3 : Il est préférable d'être quelqu'un d'intègre. Une fille honnête est riche dans son cœur. C'est une grande vérité. Les filles qui se soucient de leur apparence ne sont pas aussi heureuses que celles qui pensent aux autres avant tout. Moi, je fais partie de cette dernière catégorie, c'est pourquoi je sais cela.

Motlamedi ne quittait pas des yeux Mma Makutsi.

— Alors, Mma ? la pressa-t-elle. Voulez-vous me poser des questions sur ce que j'ai écrit ?

Mma Makutsi plia la feuille en deux et la glissa dans son cartable.

— Non, merci, Mma, c'est inutile, dit-elle. Vous m'avez fourni tout ce que j'avais besoin de savoir. Ce n'est pas la peine que je vous ennuie davantage.

Motlamedi parut inquiète.

— Et un portrait ? suggéra-t-elle. Si votre journal souhaite m'envoyer un photographe, je pense que j'accepterais qu'il me prenne en photo. Je serai là tout l'après-midi.

Mma Makutsi se dirigea vers la porte.

— Peut-être, répondit-elle. Je ne sais pas. Vous m'avez donné des réponses très précieuses que je vais pouvoir mettre dans le journal. Je pense vous connaître parfaitement bien, à présent.

Motlamedi sentit qu'elle pouvait se donner la peine d'être affable.

— Je suis ravie de vous avoir rencontrée, lança-t-elle. J'ai hâte de vous revoir. Peut-être assisterez-vous à la finale… Dans ce cas, venez avec le photographe.

— Peut-être, répondit Mma Makutsi avant de sortir.

Lorsque Mma Makutsi émergea du bâtiment, l'apprenti discutait avec trois jeunes filles. Il s'était lancé dans une explication au sujet de la voiture et ses interlocutrices l'écoutaient avec attention. Mma Makutsi n'entendit que la fin de la conversation.

— ... au moins cent vingt kilomètres/heure. Et le moteur est hyper silencieux. S'il y a un garçon et une fille à l'arrière et qu'ils veulent s'embrasser, ils ont intérêt à ne pas faire de bruit, parce qu'ils peuvent être sûrs qu'on va les entendre de l'avant.

Les étudiantes se mirent à rire.

— Ne l'écoutez pas, mesdemoiselles, intervint Mma Makutsi. Ce jeune homme n'est pas autorisé à parler aux filles. Il est déjà marié et il a trois enfants. Sa femme va se mettre très en colère si elle apprend que des filles lui ont adressé la parole. Très en colère.

Les étudiantes eurent un mouvement de recul. L'une d'elles lança à l'apprenti un regard lourd de reproche.

— Mais ce n'est pas vrai ! protesta le jeune homme. Je ne suis pas marié.

— C'est ce que vous dites toujours, rétorqua l'une des étudiantes, furieuse. Vous venez sur le campus pour bavarder avec nous, mais en fait, vous pensez sans arrêt à votre femme. Quelle conduite !

— C'est une très mauvaise conduite, en effet, acquiesça Mma Makutsi en ouvrant la portière côté passager. De toute façon, on s'en va. Ce jeune homme doit m'emmener quelque part.

— Faites attention, Mma, dit une étudiante. On les connaît, les gars comme lui...

Les lèvres serrées, l'apprenti mit la voiture en marche et s'éloigna.

— Vous n'auriez pas dû dire ça, Mma. Vous m'avez fait passer pour un imbécile.

— Tu n'as pas besoin de moi pour ça, rétorqua Mma Makutsi. Pourquoi faut-il que tu passes ton temps à courir après les filles ? Que tu cherches toujours à les impressionner ?

— Parce que c'est mon plaisir, répliqua l'apprenti, sur la défensive. J'adore parler aux filles. Il y a tellement de belles femmes dans ce pays, et elles n'ont personne pour leur parler ! En fait, c'est un service que je rends à mon pays.

Mma Makutsi lui jeta un coup d'œil excédé. Même si les deux garçons s'étaient mis à travailler dur et avaient bien réagi à ses suggestions, il semblait subsister dans leur personnalité une faiblesse chronique : cet inlassable besoin de séduire. Y avait-il quelque chose à faire pour le combattre ? Elle en doutait, mais cela passerait avec le temps, se dit-elle. Ils s'assagiraient. Ou peut-être pas. Les gens ne changeaient pas beaucoup. Mma Ramotswe lui avait dit cela un jour et la phrase s'était imprimée dans son esprit. Les gens ne changent pas, mais cela ne signifie pas qu'ils restent les mêmes toute leur vie. Ce que l'on peut obtenir, c'est découvrir leurs bons côtés et les faire émerger. Cela donnera peut-être l'impression que ces gens ont changé, mais ce sera faux, même s'ils en sortent différents, et meilleurs. Voilà ce qu'avait dit Mma Ramotswe... enfin, à peu près. Et s'il existait une personne au Botswana – une seule personne – qu'il fallait écouter avec beaucoup d'attention, c'était bien Mma Ramotswe.

CHAPITRE XVI

Le récit du cuisinier

Mma Ramotswe était allongée sur son lit et contemplait les lattes blanches du plafond. Elle n'avait presque plus mal au ventre et les nausées s'étaient estompées. Toutefois, lorsqu'elle fermait les yeux et les rouvrait aussitôt, tous les objets lui paraissaient auréolés d'un halo blanc, une aura de lumière qui dansait un moment, puis se dilatait. En d'autres circonstances, la sensation eût pu sembler agréable, mais là, savoir qu'elle était à la merci d'une empoisonneuse l'inquiétait. Quelle substance pouvait provoquer de tels effets ? Les poisons agissaient sur la vision, Mma Ramotswe ne l'ignorait pas. Enfant, elle avait appris bien des choses sur les plantes que l'on cueillait dans le bush, les arbustes qui faisaient dormir, les écorces qui coupaient court aux grossesses non désirées, les racines qui soignaient les démangeaisons. Cependant, il existait d'autres plantes, celles qui fournissaient les *muti* des sorciers, des plantes d'aspect innocent, mais dont le simple contact pouvait tuer. C'était en tout cas ce que l'on disait. C'était une telle plante qu'à n'en pas douter l'épouse de l'hôte avait glissée dans l'assiette de Mma Ramotswe ou, plus probablement, dans un plat qu'elle-même avait pris soin d'éviter. Lorsqu'on était assez démoniaque pour empoisonner son mari, ce n'était pas le risque de tuer d'autres personnes qui vous arrêtait.

Mma Ramotswe consulta sa montre. Il était sept heures passées et les fenêtres baignaient dans l'obscurité. Elle avait dormi jusqu'au coucher du soleil. À présent, l'heure du dîner avait sonné, mais elle se sentait incapable d'avaler la moindre nourriture solide. Cependant, les gens de la maison se demandaient sans doute ce qu'elle faisait et elle devait aller leur expliquer qu'elle ne se sentait pas bien et ne pouvait se joindre à leur repas.

Elle s'assit dans le lit et cligna des yeux. Le halo blanc était encore là, mais plus diffus. Elle posa les pieds à côté du lit et les glissa lentement dans ses chaussures en remuant les orteils, espérant qu'aucun scorpion ne s'était insinué à l'intérieur durant son sommeil. Elle vérifiait toujours ses chaussures depuis le jour où, enfant, elle les avait mises un matin et s'était fait cruellement piquer par un gros scorpion brun qui y avait trouvé refuge au cours de la nuit. Le pied avait enflé à tel point qu'il avait fallu l'emmener à l'Hôpital hollandais réformé, au pied de la colline. Une infirmière lui avait mis un pansement et donné des cachets contre la douleur. Elle lui avait aussi recommandé de toujours examiner ses chaussures avant de les enfiler, et ce conseil était resté gravé dans son esprit.

— Nous, nous vivons là-haut, avait expliqué l'infirmière en portant sa main à hauteur de poitrine, et eux, tout en bas. Ne l'oublie jamais.

Quelques années plus tard, elle avait pris conscience que cette vérité pouvait s'appliquer à diverses choses. Elle ne concernait pas seulement les scorpions et les serpents – pour lesquels elle s'imposait de façon évidente – mais aussi les êtres humains. Il existait, au-dessous du monde où vivaient les gens ordinaires et respectueux des lois, un univers d'égoïsme et de défiance occupé par des individus qui complotaient pour nuire à autrui. Il fallait toujours vérifier ses souliers.

Elle retira vivement ses pieds et se baissa pour attraper la chaussure droite et la secouer. Il n'y avait rien. Elle fit de même avec la gauche. Une minuscule créature scintillante en tomba et dansa un moment sur le sol, comme pour défier Mma Ramotswe, puis courut trouver refuge dans un angle sombre de la pièce.

Mma Ramotswe s'engagea dans le couloir. Lorsqu'elle en atteignit l'extrémité, où s'ouvrait la salle à manger, la bonne apparut dans l'embrasure d'une porte et la salua.

— J'allais venir vous chercher, Mma, dit-elle. On a préparé le dîner et on va bientôt servir.

— Je vous remercie, Mma. J'ai dormi. J'ai été un peu malade, mais je vais mieux maintenant. Je ne pense pas que je pourrai dîner ce soir. En revanche, je veux bien un peu de thé. J'ai très soif.

La servante porta ses deux mains à sa bouche.

— Oh là là ! s'écria-t-elle. C'est très ennuyeux, ça, Mma ! Tout le monde a été malade. La vieille femme a vomi sans arrêt. L'homme et son épouse n'ont pas cessé de crier et de se tordre de douleur. Même l'enfant a été malade, mais pas autant que les autres. C'est la viande qui devait être mauvaise.

Mma Ramotswe dévisagea son interlocutrice.

— Tout le monde a été malade ?

— Oui, tout le monde. L'homme criait qu'il irait chercher le boucher qui nous a vendu cette viande et qu'il l'étranglerait de ses propres mains. Il était très en colère.

— Et son épouse ? Que faisait-elle ?

La bonne baissa les yeux. Les problèmes diges-tifs constituaient un domaine intime et elle semblait embarrassée d'avoir à en parler aussi ouvertement.

— Elle ne pouvait rien garder. Elle a essayé de boire de l'eau – je lui en ai apporté un verre – mais même ça, elle l'a vomi tout de suite. Maintenant, son estomac doit être vide et je pense qu'elle se sent mieux! J'ai joué les infirmières tout l'après-midi. Ici, là… Je suis même allée vous voir pour vérifier si vous alliez bien, mais vous dormiez tranquillement. Je ne savais pas que vous étiez malade vous aussi.

Mma Ramotswe demeura silencieuse. L'information que venait de lui donner la bonne modifiait complè-tement la donne. L'épouse, principale suspecte, avait été victime du poison, tout comme la vieille femme, soupçonnée elle aussi. Cela signifiait, soit qu'il y avait eu une erreur dans la destination du poison, soit qu'au-cun des convives présents n'était en cause dans cette affaire. De ces deux possibilités, pensa Mma Ramotswe, la seconde était la plus plausible. En ressentant la nausée, elle s'était imaginé qu'on l'avait empoisonnée délibérément, mais était-ce possible ? Si l'on y réflé-chissait à tête reposée, ne semblait-il pas ridicule de la part d'une empoisonneuse d'attaquer aussi vite, et de façon aussi manifeste, à peine l'invitée arrivée ? Outre le risque d'éveiller les soupçons, une telle manœuvre manquait de subtilité, et les empoisonneuses, elle l'avait lu, étaient généralement des femmes très subtiles.

La servante fixait Mma Ramotswe d'un regard suppliant, comme si elle espérait la voir prendre en main la gestion de la maisonnée.

— Personne n'a besoin d'un médecin, si ? s'enquit Mma Ramotswe.

— Non. Tout le monde est à peu près rétabli, je crois. Mais je ne sais pas quoi faire, moi. Ils s'en prennent tous à moi, comme d'habitude, et je ne suis capable de rien quand ils crient comme ça.

— Je comprends, répondit Mma Ramotswe. Cela ne doit pas être facile pour vous.

Elle regarda la servante. *Ils s'en prennent tous à moi, comme d'habitude.* Ainsi, d'autres personnes pouvaient avoir un mobile, songea-t-elle. Non, c'était absurde. Cette femme respirait l'honnêteté. Elle avait une expression ouverte et souriait en parlant. Les secrets laissent des ombres sur les visages et il n'y en avait aucune sur celui-ci.

— Bon, déclara Mma Ramotswe. Vous pourriez me préparer du thé, peut-être ? Ensuite, je pense que vous ferez bien d'aller dans votre chambre et de les laisser se rétablir. Peut-être se seront-ils calmés demain matin.

La servante lui sourit, visiblement satisfaite.

— Je vais vous écouter, Mma. Je vous apporterai le thé dans votre chambre. Ensuite, vous pourrez vous recoucher.

Elle dormit, mais par intermittence. De temps à autre, elle s'éveillait et entendait des voix dans la maison, ou percevait des mouvements, une porte qui claquait, une fenêtre qu'on ouvrait, les craquements que produisent les vieilles maisons la nuit. Peu avant l'aube, lorsqu'elle comprit qu'elle ne se rendormirait plus, elle se leva, enfila sa robe de chambre et sortit. Près de la porte de derrière, un chien se dressa, encore engourdi de sommeil, et vint la renifler d'un air suspicieux. Un grand oiseau qui s'était perché sur le toit s'élança avec effort et s'enfuit.

Mma Ramotswe regarda autour d'elle. Le soleil ne se lèverait pas avant une demi-heure, mais il y avait déjà assez de lumière pour discerner les choses et tout devenait plus net de minute en minute. Les arbres restaient flous, silhouettes sombres, mais les branches et les feuilles se révéleraient bientôt dans leurs détails les plus infimes, comme dans un tableau. C'était un moment qu'elle adorait et là, en ce lieu isolé, à l'écart des routes et des gens et du bruit, la beauté de sa terre apparaissait comme distillée. Le soleil qui se lèverait avant peu rendrait le monde brutal. Pour l'instant, le bush, le ciel, la terre elle-même semblaient pudiques et sobres.

Mma Ramotswe prit une inspiration. L'odeur du bush, l'odeur de la poussière et de l'herbe la touchaient en plein cœur , comme toujours. S'y ajoutait à présent celle d'un feu de bois, ce parfum âcre, merveilleux, qui s'insinuait dans l'air paisible du petit matin à l'heure où l'on commençait à préparer le petit déjeuner en se chauffant les mains à la flamme. Elle se retourna. On avait allumé un feu non loin, le feu du matin pour faire bouillir l'eau, ou celui, peut-être, d'un veilleur qui avait passé la nuit autour de quelques braises rougeoyantes.

Elle contourna la maison en suivant un petit sentier marqué de cailloux blanchis à la chaux, une habitude héritée des administrateurs coloniaux qui blanchissaient les pierres entourant leurs campements ou leurs quartiers généraux. Ils avaient fait cela dans toute l'Afrique, blanchissant même le bas des troncs d'arbres qu'ils avaient plantés en longues avenues. Pourquoi ? À cause de l'Afrique…

Elle atteignit l'arrière des cuisines et aperçut un homme penché au-dessus d'une vieille chaudière encastrée dans la brique. Les chaudières de ce type étaient fréquentes dans les maisons d'autrefois – qui ne possédaient pas l'électricité –, où elles se révélaient indispensables dans la mesure où il n'y avait pas de courant en dehors de celui produit par le groupe électrogène. Pour faire chauffer l'eau de la maison, il était bien plus économique d'utiliser la chaudière que de faire fonctionner le générateur diesel. On alimentait donc le feu pour faire bouillir l'eau qui servirait aux bains du matin.

En la voyant approcher, l'homme se redressa et épousseta son pantalon. Mma Ramotswe le salua à la manière traditionnelle et il lui répondit comme il se devait. C'était un grand gaillard d'une quarantaine d'années aux traits marqués et au visage agréable.

— C'est un bon feu que vous avez allumé là, Rra, observa Mma Ramotswe en désignant les braises sous la chaudière.

— Les arbres du coin brûlent bien, répondit l'homme avec simplicité. Et il y en a beaucoup. On ne manque jamais de bois par ici.

Mma Ramotswe hocha la tête.

— Alors c'est votre travail ?

Il fronça les sourcils.

— Oui. Ça, et d'autres choses aussi.

— Ah bon ?

Le ton qu'il avait employé intrigua Mma Ramotswe. Ces « autres choses » étaient, à n'en pas douter, désagréables à son interlocuteur.

— Quelles autres choses, Rra ?

— Je suis cuisinier, expliqua-t-il. J'ai la charge de la cuisine et des repas.

Il lui jeta un vif coup d'œil, visiblement sur la défensive, comme s'il s'attendait à une réaction.

— C'est bien, répondit Mma Ramotswe. C'est une bonne chose de savoir cuisiner. Il y a de très bons cuisiniers à Gaborone. On les appelle des chefs et ils portent des chapeaux blancs très particuliers.

L'homme hocha la tête.

— Je sais. J'ai travaillé dans un hôtel à Gaborone, dit-il. J'étais cuisinier. Pas responsable, mais assistant. C'était il y a quelques années.

— Pourquoi êtes-vous venu ici ? s'étonna Mma Ramotswe.

Une telle migration lui semblait peu banale. Être cuisinier à Gaborone devait rapporter bien davantage, pensa-t-elle, que de s'occuper des repas dans une ferme, à la campagne.

Le cuisinier étendit la jambe pour pousser du pied un morceau de bois qui s'était échappé du feu.

— Le travail ne me plaisait pas du tout, déclara-t-il. Je n'étais pas content d'être cuisinier à l'époque, pas plus que je ne le suis maintenant, d'ailleurs.

— Mais alors, pourquoi continuez-vous, Rra ?

Il soupira.

— Oh, c'est une longue histoire, Mma. Il faudrait du temps pour tout raconter, et je dois me mettre au travail dès le lever du jour. Mais je peux commencer, si vous voulez. Asseyez-vous là, Mma, sur cette grosse bûche. Parfait. Je vais vous expliquer, puisque ça a l'air de vous intéresser.

« Je suis né de l'autre côté de cette colline qu'on voit là-bas, commença-t-il en désignant le lointain. Il y a, au-delà de cette colline, un village dont personne n'a entendu parler parce qu'il n'est pas important et que rien ne s'y passe. Personne ne s'en préoccupe parce que ses habitants sont très paisibles. Personne ne crie jamais, personne ne fait d'histoires. De sorte qu'il n'arrive jamais rien.

« Il y avait dans ce village une école que dirigeait un instituteur très sage. Deux autres maîtres l'assistaient, mais c'était lui le plus important, c'était lui, et pas les deux autres, qu'on écoutait. Un jour, il m'a dit : "Samuel, tu es un garçon intelligent. Tu es capable de retenir les noms de toutes les bêtes, avec ceux de leur père et de leur mère. Tu es meilleur que n'importe qui pour ça. Un garçon comme toi doit aller à Gaborone et trouver un travail là-bas."

« Me rappeler les noms des vaches ne me paraissait pas si compliqué, parce que j'aimais le bétail plus que tout au monde. J'avais envie de travailler avec les bêtes un jour, mais là où nous étions, il n'y avait pas d'emploi dans ce domaine et j'ai dû chercher autre chose. Je n'étais pas convaincu d'être assez doué pour aller à la ville, seulement, quand j'ai eu seize ans, l'instituteur m'a donné de l'argent que lui avait versé le gouvernement et j'ai acheté un ticket de bus pour Gaborone. Mon père n'avait pas d'argent ; il m'a donné une montre qu'il avait trouvée un jour au bord de la route goudronnée, une possession qui faisait sa fierté, mais qu'il m'a dit de vendre pour pouvoir manger une fois à Gaborone.

« Je n'avais aucune envie de l'écouter, mais en fin de compte, quand la faim a rendu mon estomac douloureux, il a fallu que je me fasse une raison. J'ai reçu cent pula en échange, parce que c'était une bonne montre, et j'ai pu acheter de la nourriture qui m'a redonné des forces.

« J'ai mis du temps à trouver du travail et l'argent que j'avais n'allait pas durer toujours. Finalement, j'ai obtenu un emploi dans un hôtel, où on me faisait porter des valises et ouvrir des portes. Parfois, les clients venaient de très loin et ils étaient très riches. Ils avaient les poches pleines d'argent. Certains me donnaient des pourboires et j'allais tout porter à la caisse d'épargne de la poste. Si seulement j'avais encore cet argent...

« Au bout d'un moment, on m'a transféré aux cuisines pour aider. Les chefs ont trouvé que je me débrouillais bien et on m'a donné un uniforme. Je suis resté là dix ans, à faire la cuisine alors que je détestais ça. Je n'aimais ni la chaleur des fourneaux ni les odeurs de nourriture, mais c'était mon travail et je n'avais pas le choix. C'est dans cet hôtel que j'ai rencontré le frère de l'homme qui vit ici. Vous devez savoir de qui je parle... C'est le monsieur important qui habite à Gaborone. Il m'a promis de me donner un travail à la campagne et m'a dit que je serais l'assistant du gérant de la ferme. J'ai été très content. Je lui ai expliqué que je connaissais bien le bétail et que je saurais parfaitement m'occuper de la ferme.

« Je suis donc venu ici avec ma femme. Elle aussi est originaire de la région et elle était ravie de rentrer au pays. On nous a donné un beau logement et ma femme est très heureuse. Vous devez savoir, Mma, à quel point il est important d'avoir une femme ou un mari satisfait. Quand ce n'est pas le cas, on n'est jamais tranquille. Jamais. J'ai aussi une belle-mère qui est très contente. Elle a emménagé avec nous et elle habite à l'arrière de notre maison. Elle chante toute la journée, parce qu'elle est heureuse d'avoir sa fille et mes enfants près d'elle.

« J'étais impatient de commencer à m'occuper du bétail, mais dès que j'ai rencontré le frère qui vit ici, il m'a demandé ce que j'avais fait jusque-là et je lui ai dit que j'avais travaillé dans les cuisines d'un grand hôtel. Cela lui a plu et il a décidé que je serais cuisinier dans sa maison. Comme ils recevaient souvent des gens importants qui venaient de Gaborone, il voulait les impressionner en montrant qu'il avait un vrai cuisinier chez lui. J'ai répondu que je n'en avais pas du tout envie, mais il m'a forcé. Il a parlé à ma femme et elle s'est rangée de son côté. Elle disait que

221

c'était une bonne place et qu'il faudrait être fou pour ne pas faire ce que ces gens attendaient de moi. Ma belle-mère a commencé à se lamenter. Elle répétait qu'elle était vieille et qu'elle mourrait s'il fallait repartir. Ma femme m'a dit : "Tu as envie de tuer ma mère, c'est ça ?"

« Et voilà. Je suis donc devenu cuisinier dans cette maison et je continue à être entouré d'odeurs de nourriture, alors que je rêve de travailler parmi les bêtes. Voilà pourquoi je ne suis pas heureux, Mma, alors que toute ma famille se réjouit. C'est une drôle d'histoire, non ?

Il se tut et posa sur Mma Ramotswe un regard mélancolique. Celle-ci détourna les yeux. Elle réfléchissait, l'esprit en ébullition, aux possibilités qui se bousculaient. Lorsqu'une hypothèse émergea, elle fut examinée pour déboucher sur une conclusion.

Mma Ramotswe regarda l'homme qui lui faisait face. Il s'était levé pour fermer la porte de la chaudière. Dans le réservoir, vieux tonneau de pétrole reconverti, elle entendit l'eau bouillir. Devait-elle parler ou garder le silence ? Dans le premier cas, elle pouvait se tromper et déclencher une réaction violente. Si elle ne disait rien, elle aurait laissé passer l'occasion. Elle fit son choix.

— Il y a quelque chose que je voudrais vous demander, Rra, commença-t-elle.

— Oui ?

Il lui jeta un bref coup d'œil, puis s'activa à remettre de l'ordre dans le tas de bois accumulé pour le feu.

— Je vous ai vu verser quelque chose dans la nourriture hier. Vous ne m'avez pas remarquée, mais moi, je vous regardais à ce moment-là. Pourquoi avez-vous fait ça ?

Il se figea. Il était sur le point de saisir une grosse bûche et avait posé les mains de chaque côté, le dos voûté, prêt à soulever le poids. Avec une lenteur extrême, ses doigts se détachèrent du bois et il se redressa.

— Vous m'avez vu ?

Sa voix était rauque, presque inaudible.

Mma Ramotswe déglutit.

— Oui, dit-elle, je vous ai vu. Vous avez versé quelque chose dans la nourriture. Quelque chose de néfaste.

Il la fixait à présent et elle s'aperçut qu'il avait le regard vide. Son visage, animé quelques instants plus tôt, était désormais dénué d'expression.

— Vous ne cherchez pas à tuer, n'est-ce pas ?

Il ouvrit la bouche pour répondre, mais aucun son ne franchit ses lèvres.

Mma Ramotswe s'enhardit. Elle avait pris la bonne décision et, à présent, elle devait achever ce qu'elle avait commencé.

— Vous vouliez juste qu'ils arrêtent de vous faire travailler comme cuisinier, c'est ça ? Si l'on trouvait que votre nourriture n'était pas bonne, on ne vous garderait plus comme cuisinier et l'on vous affecterait à un poste qui vous plaît vraiment. Je ne me trompe pas ?

Il hocha la tête.

— Vous avez été imprudent, Rra, enchaîna Mma Ramotswe. Vous auriez pu faire beaucoup de mal.

— Pas avec les herbes que j'utilise, affirma-t-il. Elles sont inoffensives.

Mma Ramotswe secoua la tête.

— Rien n'est jamais inoffensif.

Le cuisinier baissa les yeux et contempla ses mains.

— Je ne suis pas un assassin, murmura-t-il. Je ne suis pas quelqu'un de malfaisant.

Mma Ramotswe sentit la colère l'envahir.

— Vous avez beaucoup de chance que j'aie décou-vert vos agissements, dit-elle. Je ne vous ai pas vu, bien sûr : c'est votre histoire qui vous a dénoncé.

— Et maintenant ? interrogea le cuisinier. Vous allez tout leur dire et ils vont me dénoncer à la police ? Oh, je vous en prie, Mma, n'oubliez pas que j'ai une famille. Si je ne peux plus travailler ici, ce sera diffi-cile pour moi de trouver quelque chose ailleurs. Je ne suis plus tout jeune. Je ne peux pas...

Mma Ramotswe l'arrêta d'un geste.

— Ce n'est pas mon genre de dénoncer les gens, répliqua-t-elle. Je vais leur expliquer que la nourriture que vous avez utilisée était avariée, mais que vous n'aviez aucun moyen de le savoir. Et je vais conseiller au frère de vous donner un autre travail.

— Il ne voudra pas, répondit le cuisinier. Je le lui ai déjà demandé.

— Mais moi, je suis une femme, rétorqua Mma Ramotswe. Je sais comment m'y prendre pour pousser les hommes à agir dans le bon sens.

Le cuisinier sourit.

— Vous êtes très gentille, Mma.

— Trop gentille, rectifia Mma Ramotswe en se levant pour regagner la maison.

Le soleil faisait son apparition, les arbres, les collines et la terre avaient pris une teinte dorée. C'était merveilleux et Mma Ramotswe eût aimé rester là. Cependant, elle n'avait plus rien à faire à la ferme. Elle savait ce qu'elle dirait à l'Homme d'État, et il était temps de regagner Gaborone pour lui parler.

CHAPITRE XVII

Un excellent modèle de jeune fille

Constater que Motlamedi ne convenait pas à l'important poste de Miss Beauté et Intégrité n'avait posé aucune difficulté. À présent, il restait trois autres noms sur la liste et Mma Makutsi devrait rencontrer chacune de ces jeunes filles. Peut-être ne seraient-elles pas aussi transparentes que la première. Il était rare que Mma Makutsi se sente sûre de son jugement dès le premier contact, mais là, elle n'avait aucun doute : Motlamedi était une mauvaise fille. Cette dénomination était très spécifique ; « mauvaise fille » n'avait rien à voir avec « femme de mauvaise vie », ni avec « mauvaise femme » – il s'agissait là de catégories tout à fait différentes. Les femmes de mauvaise vie étaient des prostituées, les mauvaises femmes des femmes plus mûres, manipulatrices, le plus souvent mariées à des hommes âgés et qui s'immisçaient dans la vie d'autrui pour servir leurs desseins personnels. L'expression « mauvaise fille », au contraire, faisait référence à une personne plus jeune (généralement moins de trente ans) dont le principal intérêt consistait à prendre du bon temps. Le bon temps : ces mots constituaient l'essence de la définition. On trouvait surtout ces filles-là dans les bars, au bras de séducteurs qui prenaient eux aussi ce qui apparaissait comme du bon temps. Certains de ces séducteurs, bien sûr, estimaient qu'ils étaient des hommes comme les autres, ce qui, en leur for intérieur, les autorisait à adopter toutes sortes d'attitudes égoïstes. Mma Makutsi, pour sa part, n'était pas du même avis.

À l'autre extrémité du spectre, il y avait les « bonnes filles », qui travaillaient dur et que leur famille appréciait. Celles-là rendaient visite aux personnes âgées et s'occupaient des jeunes enfants, s'asseyant des heures durant sous les arbres pour les regarder jouer. Le moment venu, elles étudiaient pour devenir infirmières ou, comme dans le cas de Mma Makutsi, suivaient la formation de l'Institut de secrétariat du Botswana. Malheureusement, ces « bonnes filles », qui portaient la moitié du monde sur leurs épaules, ne s'amusaient pas beaucoup dans la vie.

Il était évident que Motlamedi n'était pas une « bonne fille », mais peut-être, se demanda sombrement Mma Makutsi, aucune des trois autres de la liste n'était-elle meilleure ? Quand vous étiez une « bonne fille », vous venait-il à l'idée de participer à un concours de beauté ? Et si, au bout du compte, le pessimisme de Mma Makutsi se révélait fondé, que dirait-elle à Mr. Pulani lorsque viendrait l'heure du compte rendu ? Expliquer que les quatre filles étaient aussi mauvaises les unes que les autres et qu'aucune ne méritait le titre n'avancerait à rien, et il y avait fort à parier qu'avec un tel résultat elle ne se risquerait même pas à présenter la moindre note de frais.

Assise dans la voiture aux côtés de l'apprenti qui conduisait, elle relut la liste avec air de désespoir.

— Où on va, maintenant ? interrogea le garçon.

Le ton était bourru, mais sans excès. Sans doute le jeune homme s'était-il souvenu qu'elle était toujours, après tout, directrice du garage par intérim, et que son collègue et lui vouaient un respect très sain à cette femme remarquable qui, depuis son arrivée, avait mis le garage et les habitudes de travail sens dessus dessous.

Mma Makutsi soupira.

— J'ai trois filles à rencontrer, expliqua-t-elle, et je n'arrive pas à décider par laquelle commencer.

L'apprenti se mit à rire.

— Moi, j'en connais un rayon sur les filles, répondit-il. Je peux même vous aider, vous savez.

Mma Makutsi lui jeta un regard plein de mépris.

— Ah, toi et tes filles ! s'exclama-t-elle. Tu ne penses donc à rien d'autre, dis ? Toi et ton paresseux de copain ! Les filles, les filles, toujours les filles…

Elle s'interrompit. Oui… Cet apprenti passait pour expert en filles – c'était bien connu – et Gaborone n'était pas une si grande ville que cela. Il y avait des chances – et même de bonnes chances – pour qu'il connût une ou plusieurs de la liste. S'il s'agissait de « mauvaises filles », comme c'était sans doute le cas, ou, plus exactement, de filles qui ne songeaient qu'à prendre du bon temps, il avait dû les rencontrer au cours de ses tournées dans les bars. Elle lui fit signe de ralentir.

— Arrête-toi. Arrête-toi là, sur le bord. Je vais te montrer ma liste.

L'apprenti immobilisa la voiture et prit la feuille que lui tendait Mma Makutsi. Tandis qu'il découvrait les noms, un sourire s'esquissa sur ses lèvres.

— Mais c'est une liste magnifique ! s'écria-t-il avec enthousiasme. Ce sont quelques-unes des filles les plus épatantes de la ville. Enfin, en tout cas, trois sur les quatre. Des filles formidables, si vous voyez ce que je veux dire, formidables, excellentes ! Le genre de filles que les garçons adorent. Ah oui ! Elles sont trop bonnes !

Le cœur de Mma Makutsi manqua un battement. Son intuition se révélait juste ; l'apprenti détenait la réponse à sa quête et, à présent, il ne restait plus qu'à l'amener, sans le brusquer, à en dire davantage.

— Alors, lesquelles de ces filles connais-tu ? interrogea-t-elle. Quelles sont les trois que tu connais ?

L'apprenti se mit à rire.

— Celle-là, là, répondit-il. Celle qui s'appelle Makita. Je la connais. Elle adore s'amuser et elle rit tout le temps, surtout quand on la chatouille. Et puis, il y a celle-là, Gladys. Oh là là, Gladys ! Ça, c'est une bonne de chez les bonnes ! Et je connais aussi celle qui s'appelle Motlamedi, ou plutôt, non, c'est mon frère qui la connaît. Il paraît qu'elle est hyper-intelligente. Elle étudie à l'université, mais elle ne perd pas trop de temps dans les bouquins, à ce qu'on dit. Gros cerveau, mais elle, c'est plutôt son derrière qu'elle cultive ! Cette fille-là, ce qui l'intéresse, c'est surtout la frime…

Mma Makutsi hocha la tête.

— Je viens de lui parler, révéla-t-elle. Ton frère a raison. Mais la dernière fille, alors ? Cette Patricia, qui vit à Tlokweng ? Tu la connais ?

L'apprenti secoua la tête.

— Celle-là est inconnue au bataillon. Mais je suis sûr qu'elle doit être charmante, elle aussi. Il faut voir.

Mma Makutsi lui reprit la feuille des mains et l'enfouit dans la poche de sa robe.

— Nous allons à Tlokweng, dit-elle. Je dois rencontrer cette Patricia.

Ils roulèrent en silence. L'apprenti semblait perdu dans ses pensées – sans doute songeait-il aux filles de la liste – tandis que Mma Makutsi, de son côté, réfléchissait à l'apprenti. Il lui paraissait totalement injuste – mais typique de cette injustice qui caractérisait les relations entre les sexes – qu'il n'existât aucune expression comme « filles faciles » pour les garçons semblables à ce ridicule apprenti. Ceux-ci étaient en tout point aussi mauvais – sinon pires – que les filles faciles, mais nul ne songeait à le leur reprocher. On ne parlait jamais de « garçons faciles », par exemple, et il ne venait à l'idée de personne de qualifier un garçon de plus de douze ans de « méchant garçon ». Les femmes, comme d'habitude, avaient le devoir de se comporter mieux que les hommes et elles s'attiraient les critiques dès qu'elles faisaient ces choses que les hommes, pour leur part, pouvaient se permettre en toute impunité. C'était injuste. Il n'y avait jamais eu de justice dans ce domaine et il n'y en aurait sans doute jamais. Même si l'on décidait de les lier par une constitution, les hommes s'arrangeraient toujours pour se dérober à toute obligation. Les juges – des hommes – trouveraient un sens caché à la constitution, un sens totalement différent du texte tel qu'il figurait sur la page, et ils produiraient une interprétation favorable aux hommes. *Toute personne, homme ou femme, a droit à un traitement identique dans le monde du travail* était devenu *Les femmes peuvent obtenir certains emplois, mais d'autres leur sont interdits (pour leur propre protection), dans la mesure où, de toute façon, les hommes sont plus aptes à les accomplir.*

D'où venait ce déplorable comportement masculin ? C'était là un mystère que Mma Makutsi n'avait jamais réussi à percer, mais depuis peu, elle commençait pourtant à entrevoir l'esquisse d'une explication. Cela devait tenir à la façon dont les mères élevaient leurs fils. En répétant à ces derniers qu'ils étaient mieux que les autres – et si Mma Makutsi en croyait son expérience, il fallait se rendre à l'évidence : toutes les mères faisaient cela –, elles les encourageaient à développer des façons de voir qui ne les quittaient plus jamais ensuite. Si l'on amenait les jeunes garçons à estimer que les femmes étaient sur terre pour veiller à eux, il n'y avait aucune raison qu'ils ne continuent pas à penser la même chose en grandissant... et c'était bel et bien le cas. Mma Makutsi en avait vu tant d'exemples qu'elle n'imaginait pas que l'on pût sérieusement remettre en cause cette théorie. Tiens, cet apprenti, là, près d'elle, en était une illustration. Un jour, elle avait vu sa mère arriver au garage chargée d'une énorme pastèque, qu'elle avait elle-même découpée en tranches et donnée morceau par morceau à son fils, comme si elle nourrissait un enfant de trois ans. Cette mère ne devrait pas agir de la sorte, mais encourager au contraire le jeune homme à s'acheter lui-même ses pastèques et à les découper tout seul. C'était ce genre de traitement qui le rendait aussi immature dans ses relations avec les femmes. Pour lui, celles-ci n'étaient que des jouets, des porteuses de pastèques, d'éternelles mères de substitution.

Ils parvinrent au lotissement 2456, devant la grille d'une petite maison de boue brune bien tenue, dotée d'un poulailler attenant et, ce qui était moins commun, de deux coffres à grain traditionnels entreposés à l'arrière. C'était là, sans doute, que l'on conservait la nourriture des poules, pensa-t-elle. Chaque matin, les graines de sorgho étaient répandues sur le sol de la cour soigneusement balayée, afin que les volailles affamées, une fois libérées de leur cage, viennent picorer. Mma Makutsi songea qu'une femme âgée devait vivre ici, car qui d'autre se donnerait la peine d'entretenir la cour de façon aussi méticuleuse et traditionnelle ? Il s'agissait sans doute de la grand-mère de Patricia, l'une de ces remarquables femmes africaines qui avaient toujours travaillé et travaillaient encore à quatre-vingts ans passés, et qui représentaient le centre vital de leur famille.

L'apprenti gara la voiture, tandis que Mma Makutsi s'engageait à pied sur le chemin qui menait à la maison. Elle appela, comme le commandait la politesse, et se demanda si on l'avait entendue. Elle s'apprêtait à recommencer lorsqu'une femme apparut à la porte, s'essuyant les mains à un torchon. Elle accueillit la visiteuse avec chaleur.

Mma Makutsi exposa la teneur de sa mission. Elle ne se prétendit pas journaliste, comme elle l'avait fait avec Motlamedi. Ici, dans cette maison traditionnelle, face à cette femme qui s'était présentée comme la mère de Patricia, c'eût été mal agir.

— J'ai besoin d'en apprendre davantage sur les finalistes du concours, expliqua-t-elle. On m'a demandé de les rencontrer.

La femme acquiesça.

— Nous pouvons nous installer devant la porte, proposa-t-elle. C'est ombragé. Je vais appeler ma fille. Sa chambre est juste là.

Elle désigna une porte sur un côté de la maison. La peinture verte qui la recouvrait s'écaillait et les gonds étaient rouillés. Si la cour présentait une apparence impeccable, la maison, elle, avait besoin de réparations. On ne devait pas rouler sur l'or ici, songea Mma Makutsi, et tandis qu'elle patientait, elle comprit quelle importance pourrait avoir, dans de telles circonstances, la prime versée à la gagnante du concours de Miss Beauté et Intégrité. Cette prime s'élevait à pas moins de quatre mille pula, accompagnée d'un bon d'achat à dépenser dans une boutique de vêtements.

Une fortune, pensa encore Mma Makutsi en remarquant le bas élimé de la jupe de son hôtesse, que ces gens-là ne risquaient pas de gaspiller.

Elle s'assit et prit la tasse d'eau que son hôtesse lui tendait.

— Il fait chaud aujourd'hui, dit la femme. Mais il va bientôt pleuvoir, j'en suis sûre.

— Oui, il va pleuvoir, approuva Mma Makutsi. Nous avons besoin de pluie.

— Vraiment besoin, insista la femme. Ce pays a toujours besoin de pluie, Mma.

— Vous avez raison, Mma. La pluie, c'est important.

Elles restèrent un moment silencieuses, à réfléchir à la pluie. Lorsque celle-ci manquait, on y pensait, en espérant de tout son cœur que le miracle surviendrait bientôt. Et lorsqu'elle arrivait, on ne faisait que se demander combien de temps elle durerait. *C'est Dieu qui pleure. Dieu pleure pour ce pays. Regardez, les enfants, ce sont ses larmes. Les gouttes de pluie sont ses larmes.* Ainsi avait un jour parlé l'institutrice de Bobonong, lorsque Mma Makutsi était encore petite, et elle se souvenait de ses paroles.

— Voici ma fille.

Mma Makutsi leva les yeux. Patricia était apparue en silence et se tenait devant elle. Mma Makutsi sourit à la jeune fille, qui baissa les yeux et esquissa une révérence. Je ne suis pas si vieille que cela ! se rebella Mma Makutsi en son for intérieur. Toutefois, le comportement de la jeune fille l'impressionna.

— Tu peux t'asseoir, dit la mère. Cette dame voudrait parler avec toi au sujet du concours.

Patricia hocha la tête.

— J'ai hâte d'y être, Mma ! s'exclama-t-elle. Je sais que je ne vais pas gagner, mais j'ai quand même hâte d'y être.

Ne sois pas si sûre, pensa Mma Makutsi. Toutefois, elle garda la remarque pour elle.

— Sa tante lui a confectionné une très belle robe pour le concours, expliqua la mère. Elle a dépensé beaucoup d'argent, parce que le tissu qu'elle a choisi est très beau. C'est une très bonne robe.

— Oui, mais je sais que les autres filles seront plus belles, déclara Patricia. Elles, elles sont vraiment élégantes. Elles habitent Gaborone. Il y en a même une qui étudie à l'université. Elle doit être très intelligente.

Et mauvaise, ajouta Mma Makutsi en silence.

— Il ne faut pas partir perdante, intervint la mère. Ce n'est pas une bonne manière de participer à un concours. Si tu penses que tu vas perdre, tu ne peux pas gagner. Que se serait-il passé si Seretse Khama avait dit : « Nous n'arriverons jamais à rien » ? Où en serait le Botswana aujourd'hui ? Où en serions-nous ?

Mma Makutsi approuva d'un hochement de tête.

— Ce n'est pas comme ça qu'il faut vous lancer dans la compétition, renchérit-elle. Vous devez vous dire : « Je peux gagner. » Et ainsi, vous aurez des chances de l'emporter. On ne sait jamais.

Patricia sourit.

— Vous avez raison. Je vais essayer d'être plus sûre de moi. Je ferai de mon mieux.

— Parfait, approuva Mma Makutsi. À présent, dites-moi : qu'aimeriez-vous faire de votre vie ?

Il y eut un silence. Mma Makutsi et la mère regardaient la jeune fille, guettant sa réponse.

— J'aimerais étudier à l'Institut de secrétariat du Botswana, répondit enfin Patricia.

Mma Makutsi la dévisagea, cherchant son regard. Son interlocutrice ne mentait pas. C'était une fille formidable, une fille sincère, l'une des meilleures filles du Botswana, sans l'ombre d'un doute.

— C'est une très bonne école, répondit-elle. Je suis moi-même diplômée de cet institut.

Elle s'interrompit un instant, avant de se décider à poursuivre.

— En fait, j'ai obtenu 97 sur 100 à l'examen final.

Patricia demeura un instant bouche bée.

— Ha ! s'exclama-t-elle. Mais c'est une excellente note, Mma ! Vous devez être très intelligente.

Mma Makutsi eut un petit rire modeste.

— Oh non... J'ai travaillé dur, c'est tout.

— Mais c'est tout de même extraordinaire, insista Patricia. Vous avez beaucoup de chance, Mma, d'être à la fois jolie et intelligente.

Mma Makutsi se trouva à court de repartie. Jamais encore on ne lui avait dit qu'elle était jolie, du moins en dehors de sa famille. Ses tantes lui avaient conseillé de tenter de tirer quelque chose de son physique, et sa mère lui avait fait une remarque similaire. Mais personne ne l'avait qualifiée de « jolie » avant cette jeune femme, qui avait vingt-quatre ans et qui était une vraie beauté.

— Vous êtes très gentille, articula-t-elle.

— C'est une bonne fille, assura sa mère. Elle a toujours été très gentille.

Mma Makutsi sourit.

— Bien, dit-elle. Et vous savez quoi ? Je pense qu'elle a toutes les chances de remporter le concours. À vrai dire, je suis même sûre qu'elle va gagner. J'en suis absolument certaine.

CHAPITRE XVIII

Le premier pas

Mma Ramotswe rentra à Gaborone le matin même de sa rencontre avec le cuisinier. Il y avait eu plusieurs conversations – dont une prolongée – avec d'autres membres de la maisonnée. Elle avait parlé à la nouvelle épouse, qui l'avait écoutée gravement avant de baisser la tête. Elle avait parlé à la vieille femme, qui s'était d'abord montrée hautaine et inflexible, mais avait fini par accepter la vérité que lui apportait Mma Ramotswe et par se ranger à son avis. Elle avait affronté le frère, qui l'avait regardée sans la croire, mais avait emboîté le pas à sa mère lorsque celle-ci s'était immiscée dans la discussion pour lui expliquer sèchement en quoi consistait son devoir. Au terme de tous ces entretiens, Mma Ramotswe avait les nerfs à vif. Elle avait pris des risques, mais son intuition s'était révélée correcte et sa stratégie payante. Il ne restait plus qu'un interlocuteur à convaincre à présent, et cette personne se trouvait à Gaborone ; là, la partie s'annonçait plus ardue.

Le voyage du retour fut agréable. Les pluies de la veille avaient produit leur effet et une nuance de vert recouvrait la terre. Par moments, on apercevait des flaques d'eau où se reflétait le ciel en taches bleu argent. Et puis, la poussière avait été fixée au sol, ce qui produisait peut-être la sensation la plus rafraîchissante. Cette fine poussière, omniprésente à la fin de la saison sèche, s'insinuait partout, encrassant toute chose et rendant les vêtements rêches et inconfortables.

Elle gagna directement Zebra Drive, où les enfants l'accueillirent dans une grande excitation. Le garçon se précipita vers la petite fourgonnette blanche avec des sauts de joie, la fille propulsa son fauteuil dans l'allée pour venir à sa rencontre. À la fenêtre de la cuisine, elle aperçut Rose, la femme de ménage, qui s'était occupée des enfants durant sa brève absence et qui la regardait arriver.

Rose prépara le thé pendant que Mma Ramotswe écoutait les enfants raconter ce qui s'était passé à l'école. Il y avait eu un concours et l'une des filles de la classe avait gagné un prix de cinquante pula en bon d'achat à la librairie. L'une des institutrices s'était cassé le bras et portait désormais un plâtre. Une élève des petites classes avait avalé tout un tube de dentifrice, ce qui l'avait rendue malade, mais il fallait s'y attendre, non ?

Il y avait aussi une autre nouvelle : Mma Makutsi avait téléphoné de l'agence en demandant que Mma Ramotswe la rappelle dès son retour, qu'elle prévoyait pour le lendemain.

— Elle avait l'air très excitée, expliqua Rose. Elle a dit qu'elle avait une chose très importante à vous annoncer.

Une tasse de thé rouge fumant devant elle, Mma Ramotswe composa le numéro du Tlokweng Road Speedy Motors, qui était aussi celui de l'agence. Le téléphone sonna un bon moment avant qu'elle entendît la voix familière de Mma Makutsi.

— Garage N° 1 des... commença-t-elle. Non. Agence N° 1 des Dames Rapides...

— Ce n'est que moi, Mma, interrompit Mma Ramotswe. Et je sais ce que vous voulez dire.

— Je mélange toujours les deux, s'exclama Mma Makutsi en riant. Voilà ce que c'est, de diriger deux entreprises à la fois.

— Je suis sûre que vous vous en êtes sortie pour le mieux, répondit Mma Ramotswe.

— Eh bien, oui, justement. J'ai appelé pour vous dire que je viens de recevoir un très gros chèque. Deux mille pula pour une enquête. Le client est très content.

— Je vous félicite, dit Mma Ramotswe. Je vais venir vous voir pour que vous me racontiez tout ça. Mais d'abord, j'aimerais que vous m'organisiez un rendez-vous. Téléphonez à l'Homme d'État et dites-lui de venir à l'agence à quatre heures.

— Mais s'il ne peut pas ?

— Dites-lui de se libérer. Dites-lui que l'affaire est trop importante pour qu'il la remette à plus tard.

Elle termina son thé, puis dégusta un gros sandwich à la viande préparé par Rose. Mma Ramotswe avait perdu l'habitude de prendre un repas chaud à midi, sauf le week-end, et elle se contentait d'un en-cas ou d'un verre de lait. Comme elle adorait le sucré, elle y ajoutait parfois un beignet ou un gâteau. Elle était de constitution traditionnelle, après tout, et n'avait nul besoin de se soucier de la taille de ses vêtements, contrairement à ces pauvres névrosées qui se regardaient sans cesse dans la glace en se disant qu'elles étaient trop grosses. Qui était trop gros, en fait ? Qui était autorisé à dire à son voisin quel devait être son poids ? C'était là une forme de dictature imposée par les maigres et Mma Ramotswe n'avait aucune intention de s'y plier. Si les maigres devenaient trop insistants, les gros pourraient toujours s'asseoir sur eux pour les étouffer sous leur poids. Oui, ça leur apprendrait !

Il était un peu moins de trois heures lorsqu'elle arriva à l'agence. Les apprentis s'affairaient sur une voiture, mais ils l'accueillirent chaleureusement et sans la moindre parcelle de ce ressentiment maussade qui la contrariait tant autrefois.

— Vous êtes très occupés, à ce que je vois, lança-t-elle. C'est une bien belle voiture que vous réparez là.

Le plus âgé des apprentis s'essuya la bouche d'un revers de manche.

— Elle est magnifique. Elle appartient à une dame. Vous savez que toutes les dames nous apportent leur voiture maintenant ? On est tellement débordés qu'on sera bientôt obligés de prendre nous-mêmes des apprentis ! Ce sera bien ! On aura des bureaux avec des fauteuils et des apprentis qui s'agiteront autour de nous en faisant tout ce qu'on leur commandera de faire !

— Très amusant ! fit Mma Ramotswe avec un sourire. Mais ne laisse pas tes chevilles enfler outre mesure ! N'oublie pas que tu n'es qu'un apprenti et que le patron, c'est cette dame, là-bas, avec les lunettes.

L'apprenti se mit à rire.

— C'est un très bon patron. On l'aime bien.

Il s'interrompit pour dévisager Mma Ramotswe avec un léger froncement de sourcils.

— Et Mr. J.L.B. Matekoni ? Il va mieux ?

— C'est encore trop tôt pour le dire, répondit Mma Ramotswe. Le Dr Moffat affirme qu'il faut généralement deux semaines pour que les médicaments fassent effet. Il reste encore quelques jours à attendre.

— Il a des gens qui s'occupent bien de lui ?

Mma Ramotswe acquiesça. Le fait que l'apprenti pose ces questions était bon signe. Cela prouvait qu'il commençait à s'intéresser aux autres. Peut-être

238

mûrissait-il. Peut-être Mma Makutsi, qui avait dû enseigner aux deux garçons quelques leçons de morale, en plus d'exiger d'eux un travail bien fait, y était-elle pour quelque chose.

Elle pénétra dans le bureau et trouva Mma Makutsi au téléphone. L'assistante termina très vite sa conversation et se leva pour accueillir son employeur.

— Et voilà ! s'exclama-t-elle en lui tendant un morceau de papier.

Mma Ramotswe regarda le chèque. Deux mille pula, apparemment, attendaient l'Agence No 1 des Dames Détectives à la Standard Bank. Au bas du chèque apparaissait le nom bien connu, qui fit sursauter Mma Ramotswe.

— L'organisateur des concours de beauté ?

— Lui-même, acquiesça Mma Makutsi. C'était mon client.

Mma Ramotswe rangea soigneusement le chèque dans son corsage. En affaires, les méthodes modernes étaient formidables, pensa-t-elle, mais quand il s'agissait de conserver l'argent, il existait certains endroits que l'on ne pourrait jamais égaler.

— Vous avez fait très vite, s'étonna-t-elle. Quel était le problème ? Infidélité ?

— Non, répondit Mma Makutsi. Cela concernait les jolies filles, et la recherche d'une jolie fille en qui l'on puisse avoir confiance.

— C'est très mystérieux, fit Mma Ramotswe. Mais apparemment, vous avez trouvé.

— Oui, assura Mma Makutsi. J'ai découvert celle qui méritait de remporter le concours.

Mma Ramotswe demeura perplexe, mais le temps lui manquait pour entrer dans les détails, car elle devait se préparer à son rendez-vous de quatre heures. Au cours de l'heure qui suivit, elle traita le courrier, aida Mma Makutsi à remplir certains papiers en rapport avec le garage et but une rapide tasse de thé rouge. Au moment où la grosse voiture noire s'immobilisa devant l'agence pour décharger l'Homme d'État, le bureau était net et bien rangé et Mma Makutsi, très sérieuse, s'activait à taper une fausse lettre à la machine.

— Alors ! fit l'Homme d'État en s'installant confortablement dans le fauteuil et en croisant les bras. Vous n'êtes pas restée là-bas très longtemps. J'imagine que vous avez réussi à démasquer l'empoisonneuse. Je l'espère pour vous, en tout cas !

Mma Ramotswe jeta un coup d'œil à Mma Makutsi. L'arrogance masculine leur était familière, mais l'attitude du visiteur dépassait de loin les conventions dans ce domaine.

— J'y ai passé exactement le temps que je devais y passer, Rra, répondit-elle d'un ton calme. À présent, je suis revenue pour parler de cette affaire avec vous.

L'Homme d'État fit la moue.

— Je veux une réponse, Mma. Je ne suis pas venu ici pour me lancer dans une longue conversation. Je n'ai pas tout mon temps.

À l'arrière-plan, la machine à écrire cliqueta avec force.

— Dans ce cas, déclara Mma Ramotswe, vous pouvez repartir travailler. Soit vous acceptez d'écouter tout ce que j'ai à vous dire, soit nous en restons là.

L'Homme d'État garda le silence. Lorsqu'il reprit la parole, sa voix était grave.

— Vous êtes une femme insolente, dit-il. Sans doute n'avez-vous pas de mari pour vous enseigner comment on doit s'adresser à un homme de manière respectueuse.

Le bruit de la machine à écrire s'amplifia.

— Et peut-être que vous, vous auriez besoin d'une épouse pour vous enseigner comment on doit s'adresser aux femmes de manière respectueuse, rétorqua Mma Ramotswe. Mais je ne veux pas vous retenir. La porte est là, Rra. Elle est ouverte. Vous pouvez partir tout de suite.

L'Homme d'État ne fit pas un geste.

— Vous n'avez pas entendu ce que j'ai dit, Rra ? Vais-je devoir vous mettre dehors ? J'ai deux garçons, là-bas, qui sont très costauds à force de travailler sur les moteurs. Et puis, il y a Mma Makutsi, que vous n'avez même pas saluée, soit dit en passant, et il y a moi. Cela fait quatre. Votre chauffeur est vieux. Vous êtes en position de faiblesse, Rra.

L'Homme d'État resta immobile. Ses yeux, à présent, fixaient le sol.

— Alors, Rra ? fit Mma Ramotswe en tapotant le bureau de ses doigts.

L'Homme d'État releva la tête.

— Je suis désolé, Mma. J'ai manqué de savoir-vivre.

— Merci, répondit Mma Ramotswe. À présent, une fois que vous aurez salué Mma Makutsi comme il se doit, à la façon traditionnelle, s'il vous plaît, nous pourrons commencer.

— Je vais vous raconter une histoire, déclara Mma Ramotswe à l'Homme d'État. Cette histoire est celle d'une famille qui avait trois fils. Le père était très heureux que son premier-né soit un garçon et il lui accordait tout ce qu'il réclamait. La mère était elle aussi très heureuse d'avoir donné un fils à son époux et elle le gâtait beaucoup également. Puis un deuxième garçon arriva, et ils furent très tristes lorsqu'ils s'aperçurent que celui-là avait l'esprit un peu dérangé. La mère entendit les gens parler derrière son dos, affirmer que si l'enfant était comme ça, c'était parce qu'elle avait connu un autre homme pendant sa grossesse. Ce n'était pas vrai, bien sûr, mais toutes ces méchancetés lui faisaient mal et elle avait honte lorsqu'elle sortait. Pourtant, ce deuxième fils était heureux ; il aimait rester auprès du bétail et le compter, même s'il ne comptait pas très bien.

« Le premier-né était très intelligent et il réussissait bien. Il alla à Gaborone et se fit un nom en politique. Seulement, plus il gagna en pouvoir et en célébrité, plus il devint arrogant.

« Entre-temps, un troisième fils était né. L'aîné en fut très heureux et il le chérit. Toutefois, sous cette affection, se dissimulait la crainte que ce petit frère ne lui dérobe l'amour que lui avait toujours porté sa famille, et que son père ne le préfère à lui. Tout ce que faisait son père était vu comme autant de signes que celui-ci préférait le benjamin, ce qui n'était pas vrai, bien sûr, parce que le vieil homme aimait tous ses fils.

« Lorsque le petit frère se maria, l'aîné fut très fâché. Il ne confia cette colère à personne, mais elle bouillonnait au fond de lui. Il était bien trop fier pour en parler à qui que ce fût, parce qu'il était quelqu'un d'important. Il était sûr que cette nouvelle femme lui prendrait son frère et qu'il ne lui resterait rien. Il pensait qu'elle chercherait à s'approprier la ferme et tout le bétail. Il ne prit même pas la peine de se demander si ses craintes étaient fondées.

« Il se mit à imaginer qu'elle avait décidé de tuer son frère, ce frère qu'il chérissait tant. Cette pensée l'empêchait de dormir, à cause de toute cette haine qui grandissait en lui. Si bien qu'en fin de compte il alla voir une certaine dame – cette dame, Rra, c'était moi – pour lui demander de découvrir la preuve qu'il avait vu juste. Il espérait que, de cette façon, elle l'aiderait peut-être à se débarrasser de l'épouse du frère.

« Au départ, la dame ne savait rien de ce qui se cachait en fait derrière la requête, aussi partit-elle séjourner au sein de cette malheureuse famille, à la ferme. Elle parla à chacun et découvrit que personne ne cherchait à tuer personne, et que toute cette histoire d'empoisonnement était arrivée simplement parce qu'il y avait un cuisinier malheureux qui confondait les plantes. C'était le frère qui avait rendu ce cuisinier malheureux en le forçant à faire des choses qu'il n'avait pas envie de faire. La dame de Gaborone s'entretint donc avec tous les membres de la famille, l'un après l'autre. Ensuite, elle revint à Gaborone pour parler au frère. Celui-ci se montra extrêmement désagréable avec elle, parce qu'il avait pris l'habitude d'être impoli et de mener son monde à sa façon. Toutefois, elle comprenait que sous sa carapace de tyran se dissimulait un être craintif et malheureux. Et cette dame pensait que c'était à cet être craintif et malheureux qu'il faudrait s'adresser.

« Elle savait, bien entendu, qu'il serait incapable de parler lui-même aux siens, aussi l'avait-elle fait pour lui. Elle expliqua à chaque membre de sa famille ce qu'il ressentait, et comment l'amour qu'il portait à son frère suscitait une jalousie qui envenimait son comportement. L'épouse du frère comprit et promit de tout mettre en œuvre pour le convaincre qu'elle ne lui avait pas dérobé son frère bien-aimé. La mère comprit aussi ; elle se rendit compte que son mari et elle-même avaient fait craindre à leur fils aîné qu'il perdrait sa part de la ferme, et elle dit qu'elle y remédierait. Ils assurèrent qu'ils feraient en sorte que tout soit partagé de façon équitable, qu'il n'avait pas besoin d'avoir peur pour l'avenir.

« Ensuite, cette dame dit à la famille qu'elle parlerait au frère de Gaborone et qu'elle était sûre qu'il comprendrait. Elle dit qu'elle lui transmettrait toutes les paroles qu'ils auraient envie de lui adresser. Elle dit que le vrai poison, dans les familles, n'était pas celui qu'on ajoutait à la nourriture, mais celui qui poussait dans les cœurs, quand les gens étaient jaloux les uns des autres et ne pouvaient exprimer leurs sentiments.

« La dame rentra donc à Gaborone avec les paroles de la famille. Et les paroles du jeune frère étaient celles-ci : *J'aime beaucoup mon frère. Jamais je ne pourrai l'oublier. Jamais je ne lui prendrai ce qui lui appartient. La terre et les bêtes sont à partager avec lui.* Et l'épouse du frère dit : *J'admire le frère de mon mari et jamais je ne lui déroberai l'amour que son frère lui porte, et qu'il mérite.* Et la mère dit : *Je suis très fière de mon fils. Il y a ici de la place pour nous tous. J'ai redouté que mes fils grandissent loin l'un de l'autre et que leurs épouses viennent se mettre entre eux et brisent notre famille. Je ne le crains plus à présent. S'il vous plaît, demandez à mon fils de venir me voir bientôt. Il ne me reste plus beaucoup de temps.* Et le vieux père ne dit pas grand-chose, sauf : *Aucun homme ne pourrait souhaiter de meilleurs fils que les miens.*

La machine à écrire s'était tue. Mma Ramotswe cessa de parler et regarda l'Homme d'État, qui demeurait silencieux et dont, seule, la poitrine bougeait, au rythme de sa respiration. Enfin, il leva une main, lentement, pour la porter devant son visage, et il se pencha en avant. La seconde main vint rejoindre la première.

— Il ne faut pas avoir honte de pleurer, Rra, dit Mma Ramotswe avec douceur. C'est de cette façon que les choses commencent à s'améliorer. C'est le premier pas.

CHAPITRE XIX

Les mots de l'Afrique

Il plut les quatre jours suivants. Chaque après-midi, les nuages se formaient puis, entre les éclairs zébrants et les grondements de tonnerre, la pluie tombait sur la terre. Les routes, d'ordinaire si sèches et si poussiéreuses, étaient inondées et les champs se muaient en vastes étendues scintillantes. Toutefois, le sol assoiffé eut vite fait d'absorber toute l'eau et la terre réapparut. Mais les gens, au moins, surent que l'eau était là, en sécurité dans le lac de retenue, s'écoulant lentement dans le sol où étaient creusés leurs puits. Tous semblaient soulagés. Une nouvelle sécheresse eût été trop dure à supporter, quand bien même on se serait adapté, comme toujours. Le temps, disait-on, changeait et tout le monde se sentait vulnérable. Dans un pays comme le Botswana, où la vie de la terre et des animaux ne tenait qu'à un fil, la moindre modification pouvait se révéler désastreuse. Heureusement, la pluie était venue, et cela seul comptait.

Le Tlokweng Road Speedy Motors avait de plus en plus de travail et, en temps que directrice par intérim, Mma Makutsi décida que la meilleure chose à faire était d'embaucher un autre mécanicien pour quelques mois, afin de voir comment évoluaient les choses. Elle fit paraître une petite annonce dans le journal et un homme qui avait travaillé dans les mines de diamants comme mécanicien diesel, mais se trouvait désormais à la retraite, se présenta et proposa de venir trois jours par semaine. Il débuta aussitôt et se lia vite d'amitié avec les apprentis.

— Mr. J.L.B. Matekoni s'entendra bien avec lui, affirma Mma Ramotswe, quand il reviendra.

— Mais quand reviendra-t-il ? interrogea Mma Makutsi. Les deux semaines sont passées, maintenant.

— Il reviendra un jour, répondit Mma Ramotswe. Inutile de le presser.

Cet après-midi-là, elle se rendit à la ferme des orphelins et gara sa petite fourgonnette blanche sous la fenêtre de Mma Potokwane. Celle-ci, qui l'avait vue arriver, avait déjà mis la bouilloire à chauffer lorsque Mma Ramotswe frappa à la porte.

— Eh bien, Mma Ramotswe, dit-elle. Voilà un petit bout de temps qu'on ne vous avait pas vue.

— J'étais partie, expliqua Mma Ramotswe. Ensuite, les pluies sont arrivées et la route est devenue boueuse. Je n'avais pas envie de m'embourber.

— C'est très sage, commenta Mma Potokwane. Nous avons dû enrôler les plus grands de nos orphelins pour dégager un ou deux camions qui s'étaient embourbés juste devant notre allée. Cela nous a donné beaucoup de mal. Les orphelins étaient couverts de boue rouge et nous avons dû les laver au tuyau d'arrosage dans la cour.

— J'ai l'impression que les pluies vont être abondantes cette année, déclara Mma Ramotswe. Ce sera une très bonne chose pour le pays.

Dans l'angle de la pièce, la bouilloire se mit à siffler et Mma Potokwane se leva pour préparer le thé.

— Je n'ai pas de gâteau à vous offrir aujourd'hui, s'excusa-t-elle. Nous en avons fait hier, mais tout le monde s'est jeté dessus et on les a mangés jusqu'à la dernière miette. On aurait dit une invasion de saute-relles.

— Les gens sont gourmands, commenta Mma Ramotswe. J'aurais apprécié un morceau de gâteau, mais je vais essayer de ne pas y penser.

Elles burent leur thé dans un silence convivial. Puis Mma Ramotswe prit la parole.

— Je me suis dit que je pourrais peut-être emmener Mr. J.L.B. Matekoni faire une promenade dans ma fourgonnette, lança-t-elle. Croyez-vous que cela lui ferait plaisir ?

Mma Potokwane sourit.

— Il aimerait beaucoup. Il est resté très silencieux depuis son arrivée, mais je me suis rendu compte qu'il a fait quelque chose. Je trouve que c'est un bon signe.

— Qu'a-t-il fait ?

— Il nous a aidées, pour le petit garçon, répondit Mma Potokwane. Vous savez, celui auquel je vous ai demandé de réfléchir ? Vous vous en souvenez ?

— Oui, fit Mma Ramotswe, hésitante. Je me souviens de cet enfant.

— Avez-vous découvert quelque chose ? s'enquit Mma Potokwane.

— Non, avoua Mma Ramotswe. Je ne crois pas qu'il soit possible de découvrir quoi que ce soit. Mais j'ai malgré tout ma petite idée. C'est juste une idée…

Mma Potokwane ajouta une cuillerée de sucre en poudre à son thé et le remua lentement.

— Ah oui ? Et quelle est cette idée ?

Mma Ramotswe fronça les sourcils.

— Je ne pense pas qu'elle vous aidera, dit-elle. En fait, je suis même convaincue qu'elle ne vous aidera pas du tout.

Mma Potokwane porta le thé à ses lèvres, en but une longue gorgée, puis reposa délicatement la tasse sur la table.

— Je crois savoir de quoi il s'agit, Mma, déclara-t-elle. Je pense que j'ai eu la même idée. Mais j'ai du mal à y croire. Cela ne peut pas être vrai.

Mma Ramotswe secoua la tête.

— C'est ce que je me suis dit aussi. Les gens racontent ce genre de choses, mais personne n'a jamais rien prouvé, n'est-ce pas ? On prétend que ces enfants sauvages existent et que, de temps à autre, on en découvre un. Mais quelqu'un a-t-il jamais apporté la preuve que ces petits ont bel et bien été élevés par des animaux ? Existe-t-il la moindre preuve ?

— Pour ma part, je n'en ai jamais eu connaissance.

— Et si nous révélons ce que nous pensons de ce petit garçon, que se passera-t-il ? Les journaux ne parleront plus que de cela. On viendra du monde entier pour le voir. On essaiera même de nous l'enlever pour l'emmener vivre dans un endroit où on pourra l'observer à longueur de journée. On le fera sortir du Botswana.

— Non, protesta Mma Potokwane. Le gouvernement ne laissera jamais faire une chose pareille.

— Je n'en suis pas si sûre, soupira Mma Ramotswe. C'est possible. On ne sait pas.

Elles se turent un moment. Puis Mma Ramotswe reprit la parole.

— Je pense qu'il y a des choses qu'il vaut mieux laisser en l'état, affirma-t-elle. On n'est pas obligé de connaître les réponses à toutes les questions.

— Vous avez raison, acquiesça Mma Potokwane. Il est parfois plus facile d'être heureux quand on ne sait pas tout.

Mma Ramotswe médita ces mots. Il s'agissait là d'une proposition intéressante, mais elle n'était pas sûre d'y adhérer totalement. Il faudrait y réfléchir davantage ; cependant, cela pouvait attendre. Pour le moment, une tâche plus urgente l'attendait, celle d'emmener Mr. J.L.B. Matekoni à Mochudi, où ils escaladeraient le *kopje*[1] pour admirer les plaines. Elle était sûre que la vue de toute cette eau lui plairait et lui ferait du bien.

— Mr. J.L.B. Matekoni nous a aidées un peu pour cet enfant, répéta Mma Potokwane. C'était bien qu'il ait quelque chose à faire. J'ai vu qu'il lui a montré comment utiliser un lance-pierres. Et je l'ai également entendu lui apprendre des mots… lui apprendre à parler. Il est très gentil avec lui et ça, je crois, c'est un bon signe.

Mma Ramotswe sourit. Elle imaginait Mr. J.L.B. Matekoni enseignant à l'enfant sauvage les termes désignant les choses qu'il voyait autour de lui, lui enseignant les mots de son monde, les mots de l'Afrique.

Mr. J.L.B. Matekoni ne se montra guère communicatif sur le chemin de Mochudi. Assis sur le siège passager de la petite fourgonnette blanche, il regardait par la vitre les plaines qui se déroulaient sous ses yeux et les autres voyageurs sur la route. Il émit cependant quelques remarques et demanda même des nouvelles du garage, ce qu'il n'avait pas fait la dernière fois qu'elle était venue le voir dans sa paisible chambre de la ferme des orphelins.

— J'espère que Mma Makutsi arrive à se faire obéir de ces apprentis, dit-il. Ils sont si paresseux ! Il n'y a que les filles qui les intéressent.

---

1. Petite colline. *(N.d.T.)*

— Le problème des filles persiste, répondit-elle, mais pour le reste, elle les fait travailler dur et ils s'en sortent bien.

Ils atteignirent l'embranchement de Mochudi et se retrouvèrent bientôt sur la route qui menait à l'hôpital, à la *kgotla*[1] et au *kopje semé* de rocs, juste derrière.

— Si nous montions sur le *kopje* ? lança Mma Ramotswe. On a une belle vue de là-haut. Nous pourrions constater les changements qu'a subis le paysage avec les pluies.

— Je suis trop fatigué pour grimper, soupira Mr. J.L.B. Matekoni. Vas-y toute seule, je t'attends ici.

— Non, protesta fermement Mma Ramotswe. Nous allons monter tous les deux. Prends mon bras.

L'ascension ne fut pas longue et, bientôt, ils se retrouvèrent au bord d'un éperon rocheux, d'où ils purent contempler Mochudi : l'église, avec son toit de tôle rouge, le minuscule hôpital, théâtre d'un combat héroïque et quotidien mené avec de faibles ressources contre des ennemis puissants, et, au loin, les plaines du sud. La rivière coulait à présent, large et paresseuse, serpentant entre les bosquets, parcourant le bush et contournant les grappes de maisons alignées. Un petit troupeau de vaches marchait en file indienne sur un sentier qui longeait la rivière et, de là où ils se tenaient, ces animaux semblaient de minuscules jouets. Mais le vent soufflait dans leur direction et le son des cloches leur parvenait, distant et doux, si caractéristique du bush botswanais, si familier. Mma Ramotswe se tenait immobile : une femme sur un rocher en Afrique, voilà ce qu'elle était et ce qu'elle voulait être.

---

1. Salle communale de construction batswana traditionnelle, où se réunit le conseil municipal. *(N.d.T.)*

— Regarde, dit-elle. Regarde là-bas. C'est la maison où je vivais avec mon père. C'est chez moi.

Mr. J.L.B. Matekoni suivit son regard et sourit. Il sourit, remarqua-t-elle.

— J'ai l'impression que tu vas un peu mieux maintenant, non ? fit-elle.

Mr. J.L.B. Matekoni hocha la tête.

Afrique
Afrique   Afrique
Afrique   Afrique   Afrique
Afrique   Afrique
Afrique

10/18, une marque d'Univers Poche,
est un éditeur qui s'engage pour
la préservation de son environnement
et qui utilise du papier fabriqué à partir
de bois provenant de forêts gérées
de manière responsable.

Cet ouvrage a été imprimé en France par

BUSSIÈRE

à Saint-Amand-Montrond (Cher)
en mars 2013

Dépôt légal : avril 2004.
N° d'impression : 2001600.
Nouveau tirage : mars 2013.
X04556/04